官能の庭Ⅲ

# ベルニーニの天啓

一七世紀の芸術

Mario PRAZ, Il Giardino dei Sensi III, L'ESTRO DEL BERNINI: L'Arte del Seicento

マリオ・プラーツ――著
伊藤博明・新保淳乃他――訳
伊藤博明――監修

ありな書房

官能の庭Ⅲ

# ベルニーニの天啓——一七世紀の芸術

## 目次

Mario PRAZ

Il Giardino dei Sensi III
L'ESTRO DEL BERNINI
L'Arte del Seicento

Transtulerunt Hiroaki ITO
Midori WAKAKUWA
Kiyoo UEMURA
Kiyono SHIMBO

Commentavit e Curavit
Hiroaki ITO

Edidit Akira ISHII

Designavit Hikaru NAKAMOTO

官能の庭Ⅲ

# ベルニーニの天啓——一七世紀の芸術

# プロローグ　マリオ・プラーツと「姉妹芸術」

一九五八年にジャン・H・ハグストラムの『姉妹芸術――文学の絵画趣味の伝統とドライデンからグレイにいたる英国の詩』が刊行された。「姉妹芸術」(sister arts)とは端的には詩と絵画、広義には文学と造形芸術のことを指しており、それらの並行関係、類似関係、照応関係を念頭に置いた表現である。この関係を示唆する伝統は、ホラティウスの『詩論』における「詩は絵のごとく」(ut pictura poesis)と、ケネスのシモニデスに帰される「絵はもの言わぬ詩、詩は語る絵画」という表現にまで遡る。これらの言葉は、詩と絵画のパラゴーネをめぐるルネサンスの議論において採りあげられ、以後のアカデミズムの中でそれらの同一性が定式化された。デュ・フレノワは『絵画論』(一六六七年)の中で、詩と絵画という「互いによく似た競いあうこの姉妹は、役割と名前をとりかえる」と述べている。この権威化した理念を批判したのがレッシングの『ラオコオン』(一七六六年)である。彼によれば、叙事詩と演劇は時間の中に、一方、絵画と彫刻は空間の中に展開されるもので、両者は本質的に異なっている。

一九世紀末以降、伝統的な姉妹芸術論は実質的に効力を失ったと言うべきであろう。とすれば、ハグストラムの研究は一種のアナクロニズム以外のなにものでもない。しかしマリオ・プラーツは、一九六三年に発表された『姉妹芸術』の書評(『近代文献学』第六〇巻第三号)において、「ハグストラム教授の卓越したサーヴェイ」と称讃している。プラーツの書評はすべからく、対象の書物からテーマを換骨奪胎して持論を展開するものであるが、ここでも簡潔ながら、彼自身の姉妹芸術観が披瀝されている。トマス・グレイの『墓畔の哀歌』とニコラ・プッサンの《我もかつてアルカディアに在り》に共通する情感が指摘され、これらの風景が有する「沈思と夢想の色合い」は、まもなく「ロマン派的感性」という名で呼ばれるはずのものである、と結論している。

そしてプラーツは、この書評をそのまま第一章「詩は絵のごとく」に組みいれた『ムネモシュネ――文学と視覚芸術との間の平行現象』（高山宏訳、ありな書房）を一九七〇年に上梓して、ルネサンスから二〇世紀にいたるまでの、姉妹芸術論を縦横無尽に展開することになる。彼は明快にも、「ある時代の産んだあらゆる芸術には似通うところがあり、後代の模作が異質なものを持ちこむことではっきりとそれと判る」と断言する。プラーツの『ムネモシュネ』は賛否両論の反応を惹き起こしたが、ここでは、E・H・ゴンブリッチの書評（『バーリントン・マガジン』第一一四号、一九七二年）を紹介しておこう。彼は、「模作」の議論などいくつかの理論的な問題については留保しつつ、こう締めくくっている。美術史家や批評家は、写真、引用、ほかの文化的記録をひとつの帽子からでたものとして、それらの類似性について確定するゲームに参加するように招待されている。「私はプラーツ教授以上に、この類比のゲームを一緒に楽しむことは想像できなかった。いつでも彼が勝利するであろうことは確実である」。

プラーツはすでに一九三八年執筆の「ミルトンとプッサン」（本巻所収）において、「彼ら二人こそ、イタリアに誕生した新古典主義の理想を成熟に導いた」として両者の並行関係を論じていた。また一九五五年執筆の「ルーベンス」（同）では、シェイクスピアとルーベンスとの「数多くの共通点」について語っている。彼の類似性をめぐる議論は、ジャンル間の問題にとどまらず、時系列を超えるもの、地域をまたぐもの、そして時代精神（Zeitgeist）を背景とするものと多様で、それは本巻所収の他の論考が示しているとおりである。

プラーツを「類比のゲーム」の永遠の勝利者とする要因は、彼の圧倒的な博識と奇矯な着想だけではない。彼は自らのピクチャレスクな想像力を言葉に紡ぐ類まれな能力を有しており、すなわち、彼はアレクサンドリアの詩人たちの「エクフラシス」（画文一如）を二〇世紀で唯一具現しえたヴァーチュオーソであった。

（伊藤博明）

もしエリザベス朝演劇の観客が、壮麗で煽情的なものを渇望していたならば、今日、映画に群がっている観客とさほど異なることはなかったにちがいない。セネカの劇作品という範例は、疑いもなく、煽情的なものへのエリザベス朝の趣好が広まっていく中で大きな影響を及ぼした。しかし、その吸収同化が起こったのは、ある類似性が存在する場合だけであった。すなわち、セネカはエリザベス朝の劇作家たちに対して、たしかに彼らが生来の趣好として抱いていた恐怖を正当化したのである。

『ヨークシャーの悲劇』(*The Yorkshire Tragedy*)と『フェヴァーシャムのアーデン』(*Arden of Feversham*)のような劇作品は、明らかにセネカに由来する『スペインの悲劇』(*Spanish Tragedy*)よりものちに成立しているが、外国の、あるいは古典の影響をそれらに帰することはできず、当時の犯罪事件への強い関心の直接的な産物なのである。このような関心については、おそらく煽情的なものへの執着と恐怖の誇示を含む、トマス・ナッシュの『不運な旅人』(*Unfortunate Traveller*)の描写におけるほどに、明白に証言されているものはないであろう。「諸君の耳と涙の用意は宜しいかね。というのも、私はこのような悲惨な事件を、これまで諸君に語ったことはないのだから」。

セネカの悲劇——『十の悲劇』(*Tenne Tragedies*)——の英訳者たちは、不気味なリアリズムへの生来の趣好によって、セネカの恐怖の度合いを高めていく準備ができていた。しかし、すでにセネカのイタリアの摸倣者たちの元祖、ジラルディ・チンティオは、アリストテレスが要求していた悲劇における「ポボス」（φόβος）を「恐怖」と解釈していたのではないであろうか。チンティオはすでに「テュエステスの饗宴」――『百物語』（*Hecatomimithi*）――に、彼の劇作品自体によってだけではなく、また彼の『喜劇と悲劇の創作をめぐる論議』（*Discorso intorno al comporre delle commedie e delle tragidie*）に見られる観客への効果の記述によっても確証される大衆性を与えていたのではないであろうか。

この効果とは茫然自失、すなわち「それを見た観客に我を忘れさせるような戦慄」であった。とすればわれわれは、ヴァーノン・リーの――『エウフォリオン』（*Euphorion*）中の、エリザベス朝の劇作家たちのイタリア的なものについての、部分的には古びているが、しかし有益な論考における――ルネサンスのイタリア人は「恐怖、あるいは死、あるいは嫌悪すべき行為についてまったく、あるいはほとんど描くことはなかった」、また「悲劇の感覚が、アリオストの陽気で愉快な同時代たちには絶対的に欠けていた」という言説について、なんと言うべきであろうか。

いまやわれわれは、イタリアのセネカ主義者たちが悲劇の恐怖に満ちた側面について強調した最初の人びとだったことを知らないであろうか。われわれはスタンダールによって利用されたイタリアの事件簿から、わがイタリアの群衆が死刑執行にいかに興じていたかを知らないであろうか。しかしながら、イタリアの劇作家たちは、感傷的ではあるが、あまりに身近なアマルフィの侯爵夫人やビアンカ・カッペッロ［トスカーナ大公フランチェスコ一世の妃］の物語よりもむしろ、アルメニアやペルシアの不運な恋人同士の物語を演劇化することを好んだ。

イギリスの劇作家たちが好んだ背景を、われわれはヴァーノン・リーのピクチャレスクな言葉の中に見いだす。「逃亡を防ぐための格子がついた、薄暗いパラッツォ、足の歩みが出す音を和らげる絨毯、突然開く落とし穴、刺客の隠れ場所に適した綴れ織り、毒を盛った花冠」。イタリアは「スリラー」（thrillers）の作家たちにとって真性の鉱山であり、（反カトリックの宣伝に乗じて）「殺人のアカデミー、暗殺の体育場、あらゆる国の毒薬の工場」[☆1]と考えられた。

イタリアの異国風の暗い魅力をしばしば活用した、エリザベス朝の劇作家はジョン・ウェブスターである。彼は巧みに、イタリアの異国的風土の二つの側面、すなわち君公の宮廷の光輝と毒薬を盛る習慣を利用した。宗教的行列、馬上槍試合、祝賀祭典への趣好はルネサンスの大衆によって強く感じとられていた。そしてウェブスターは、自らのイタリア風演劇に、同様なスペクタクルを詰めこむのに成功している。

ウェブスターこそは、キッドの『スペインの悲劇』(*Spanish Tragedy*)とマーロウの『マルタ島のユダヤ人』(*Jew of Malta*)から始まり、有名なチェンチ裁判から想を得たマッシンジャーの『異様な戦闘』(*Unnatural Combat*)、マーストンの『アントニオとメリダ』(*Antonio and Mellida*)および『強欲な伯爵夫人』(*The Insatiate Countess*)、ターナーの『復讐者の悲劇』(*The Revenger's Tradedy*)および『無神論者の悲劇』(*The Atheist's Tragedy*)、ミドルトンの『女よ女に心せよ』(*Women beware Women*)および『チェインジリング』(*The Changeling*)で花開く、イタリア的恐怖の流派の最大の代表者である。

しかし、ここでシェイクスピアにたちかえるならば、イタリア的背景をもつ彼の劇作品が、他の劇作家たちには見慣れたものであった恐怖を免れていることを発見して驚くにちがいない。恐ろしい犯罪や裏切りは、たしかにシェイクスピアの劇作品の中で起こるが、しかし——それを指摘するのは奇妙なことであるが——イタリアを舞台として演じられている作品では通常のエリザベス朝の劇作品とは異なる。

シェイクスピアは、イタリア的犯罪という使い古された方策に訴えることを恥じていたのであろうか。あるいは、彼の幅広い視点が、人間本性のより純粋でより高貴な側面とは相反する、その卑俗な側面には副次的な重要性しか付与させなかったのであろうか。あるいは、彼がイタリアの事象について知識を有していたがゆえに、宗教的な熱狂者や愛国主義者によって流布されていた、そして煽情的なものを求める大衆によって盲目的に受容されていた見解よりも公平な見解にもとづいて、われわれ「イタリア人」の社会を構成することができたのであろうか。

彼の最初期の劇作品のひとつ『ヴェローナの二紳士』(*Two Gentlemen of Verona*)から、彼が完成させた最後の劇作品『テンペスト』(*Tempest*)まで、シェイクスピアはしばしば、舞台上にイタリアの人物を登場させたが、しかしながら、その大部分は、ほかの劇作家たちが自らの注意を集中させた、道徳的な怪物性という性格を与えられてはいない。それどころか、シェイクスピアの描くイタリアは、カスティリオーネとアリオストの作品から再構成することができるような、牧歌的なイタリアにきわめて近いので、ある人びとは彼がイタリアを訪ねたことがあると考えることができたほどである。イギリスにおいてシェイクスピアの周りでは、すべての者がイタリア人の頽廃という神話にほとんど魅了されていたのにたいして、いかにして彼は、われわれの作家〔カスティリオーネとアリオスト〕によって提示されたイメージに近いイメージを描くことに成功したのであろうか。

われわれはときおり、シェイクスピア批評において、次のような驚くべき表現に遭遇する。「われわれは、イタリア的生活についての彼の忠実な描写に驚かされるが、そのことは、彼が自らの描写する場面に個人的に居合わせていたと想像することによってのみ説明することができるであろう」(ベッカー)。ある者は、『じゃじゃ馬馴らし』(*The Taming of the Shrew*)の中に「純粋なパドヴァの雰囲気」を見いだした(Ch・ナイト)が、別の者によれば、『オセロー』(*Othello*)の第一幕は完全にヴェネツィアの精神に満ちている。

ある批評家は、『ヴェニスの商人』(*Merchant of Venice*)の中のポーシャが、ヴェネツィアの典型的な輝かしく生気に満ちた女性であるように、『オセロー』の中のデズデモーナが、イタリア人に好まれる、典型的な愛情にあふれ、従順で、優雅な女性を具現化している、と述べている。同じ批評家(ホレイショー・F・ブラウン)は、シャイロックは、多くの点においてユダヤ人よりもむしろヴェネツィア人である、と断言している。ブランデスは、シェイクスピアがイタリアについてもっていた知識は、「口頭で聞いたものや書物で読んだものから結果しうる以上に深いもの」であったと主張していた。

ウィリアム・ブリスは、その愉快な「註釈家たちへの反撃」の書、『真のシェイクスピア』(William Bliss, *The Real Shakespeare*, London, Sidgwick & Jakcson, 1947)において、シェイクスピアをドレイクの世界周航の旅に同伴させており、パラドクスへの趣好をもつ彼が主張しているところによれば、シェイクスピアの第二の期間に、すなわち彼についての消息がわれわれに欠けている一五八六年から一五九二年のあいだに、シェイクスピアはイリュリア〔バルカン半島北西部〕の海岸で難破し、そしてヴェネツィアにたどりつき、そこでサウサンプトン公の知己を得て、公から救いの手を差し伸べられ、後年、公に庇護されることになった。ブリスは、シェイクスピアについて主張されていることで納得のいくテーゼは存在しないことを、戯れに証明しようと試みている。しかし、フランス人のG・ランバンが『近代語』(*Les Langues modern*)誌(一九五一年〜五二年)に発表した論考「知られざるシェイクスピアの痕跡について」(G. Lambin, 'Sur le trace d'un Shakespeare inconnu')には、冗談の影がいっさい存在しないというのである。

ランバンにとって、シェイクスピアの名前で流通している劇作品の著者がイタリアを、とりわけフィレンツェとミラノを訪ねたことがあるのは疑いのない事実である。『終わりよければすべてよし』(*All's Well that Ends Well*)において、巡礼に赴くと語られている「大聖ヤコブ」(St. Jaques la Grand)はスペインの有名な聖所[サンチャゴ・デ・コンポステラ]ではなく、フィレンツェから遠からぬ「アルトパショの聖ヤコブ」(San Giacom d'Altopascio)であろう。そして、「街の門のそばにある聖フランチェスコ」の宿泊所(第三幕第五番三七行)は、まさにフィレンツェのプラート門の近くにある、聖フランチェスコ・デイ・ヴァンケトーニの祈禱所であろう。

ランバンによれば、この「知られざるシェイクスピア」は、『終わりよければすべてよし』の文言を、ユグノー派に抗するカトリック派(「リーグ」)から想を受けた、フランスの諷刺文の文体で書いたのであり、この情況について彼は精通していたように思われる。[☆2]そして、『テンペスト』はマリー・ド・メディシスへの頌詞として書かれた。というのも、ランバンは、マリー・ド・メディシスがミランダであり、彼女の父のプロスペローがトスカーナ大公フランチェスコ一世であり、シコラクスがビアンカ・カッペッロであり、フランチェスコ一世が彼女とのあいだにもうけた気高い息子がアントニオであると確信しているからである。

『テンペスト』のこの秘密の意味を、ランバンは、Ch・デゾリーとTh・バシュレの『伝記的・歴史的一般辞書』(*Dictionnaire général de biographie et d'histoire*)の中に、彼が見いだした大公についての項目から採りだした。そこにランバンは、フランチェスコ一世の科学的実験室、すなわちフィレンツェのパラッツォ・ヴェッキオの「ストゥディオーロ」についての記述を見いだした。彼は、『テンペスト』中のエアリエルと有名な詩句「両の眼は今は真珠」が、そのストゥディオーロの中に描かれた、珊瑚、水晶、真珠などの貴重な物質を用いて作業している小クピド（アモレッティ）たちの形象から示唆されたと想定するまでいたっている。ランバンの大胆さは止まるところを知らず、彼は歴史的な通俗的作品を利用し、その内容を自らの仮定を支えるための根拠として自在にねじまげている。☆3

実際のところ、ランバンが証拠とするために操作しうるものはいっさい存在しない。彼がフランチェスコ一世のマドリガル（周知のように一八九四年にはじめて刊行された）に見いだした、「小舟」の使い古されたペトラルカ的隠喩は、彼によれば、『テンペスト』の著者に、「粉々になった小舟」で波間に漂流したプロスペローの逸話を示唆したのであろう。ランバンが有しているのは、われわれがフロイトの追随者たちの論考（たとえばポーに関するマリー・ボナパルトの研究）やジョイスに関する書物において見いだすのが常であるような、一連の恣意的な方程式と不自然な観念連合である。

彼の「諸発見」は、M・A・ルフランのより戦慄すべき『シェイクスピアの発見』（M.A. Lefranc, *Découverte de Shakespeare*, Paris, 1945 et 1950）を支持するであろう。ルフランによれば、ランバンの「知られざるシェイクスピア」は、シェイクスピアのイタリアとフランスへの旅と、これら二つの国の重要な人物との接触についての個人的な記録を利用したのであろう。シェイクスピアは第六代目ダービー伯ウィリアム・スタンリーということもありうるであろう……。しかし、この古いベイコン的異説の蘇生は、ランバンやほかの者たちの「諸発見」の欠陥が明白となっている一方で、シェイクスピアによるイタリアの都市の地勢についての確実な知識から帰結されるものによって権威づけられうるであろうか。

ロングワース・チャンブラン夫人——彼女の仮定にはのちほど触れる——はこう書いている。「シェイクスピアの作品においてわれわれをなによりも驚かせるのは、この劇作家の中にわれわれは全体として、イタリア文化について正確な知識はほとんど見いださないのに、彼はわれわれにイタリア文化の真の印象を付与することに成功したということである。シェイクスピアは、イタリア語をほとんど皮相的にしか知らなかったのにもかかわらず、観客と読者に郷土色という強い幻影を抱かせた」。

一方でシェリング教授は次のように警告している。「郷土色で染めるシェイクスピアの能力について、多くのつまらぬことが書かれている。この能力を彼が最高度に有していたことは疑いのない事実である。しかし、それは彼の諸典拠からの影響に由来している。そして、空想力を欠いている解釈者だけが必然的に、彼をして『ヴェニスの商人』と『オセロー』の郷土色のためにイタリアを、また『ハムレット』の郷土色のためにデンマークを、旅させることができるのである。とはいえ、シェイクピアにおいて登場人物が外国人風であることはまれである」。

いかにしてシェイクスピアがイタリアの事象を知ることができたのか、という問題に対処するまえに、われわれはイタリア的背景をもつ劇作品について急ぎ足で瞥見することにしよう。

『ヴェローナの二紳士』の場面はヴェローナとミラノである。主要登場人物の名前は多かれ少なかれ、イタリア語化されているが、二人の従者のスピードとラーンスはイギリス人である。この劇作品には多くの齟齬が見いだされる。たとえば、第一幕第三場において、ヴァレンタインは王宮で皇帝に仕えていると語られるが、先に進むとわれわれは、この宮廷は公爵のものであることを見いだす。第二幕第五場では、ミラノで起こることが想定されているが、スピードはあたかもその都市がパドヴァであるかのように、ラーンスに向かって歓迎の挨拶をする。このような場所の設定の不正確さから、ある批評家たちは、シェイクスピアが場面をどこに設定するかを決定するまえに、劇作品を執筆し始めたと想定している。

ともかくも、『ヴェローナの二紳士』の縺(もつ)れは、典型的なコンメーディア・デッラルテの縺れを模範としており、[☆4]こうしてシェイクスピアは、逸失した『フェリックスとフィリオメナ』(*Felix and Philiomena*)がそうでありうるような、イタリア的性格をもつ劇作品を典拠として利用した。そして、彼はイタリア喜劇に由来する仕方で、通例は『ヴェローナの二紳士』の典拠とみなされているモンテマイヨルの『ディアナ』(*Diana*)に見いだされる弱いプロットを発展させたのである。[☆5]

コンメーディア・デッラルテの影響は、さらに、シェイクスピアの最初の喜劇『恋の骨折り損』（*Love's Labour's Lost*）において明白であり、そこにおけるアーマードーとホロファニーズは、イタリア喜劇の「スペイン人の隊長」（Capitano spagnolo）と「学者ぶった者」（Pedante）にそれぞれ対応する。コンメーディア・デッラルテのパントマイム（Lazzi）とそれにおなじみのふるまいはシェイクスピアにおいて頻繁に現われるので、ある批評家は大きく飛躍して、彼の劇作品の散文のほとんどすべては、役者たち自身との共働に拠っていたにちがいないと結論している。☆6

シェイクスピアは、自らのイタリア人たちに、あたかもイタリア人のように語らせようと試みている。『ヴェローナの二紳士』（第一幕第三場六行以下）においてわれわれは、一人の登場人物が次のように明言するのを耳にする。

それに引き換え、大した身分でもない連中が、
息子を海外へ送り出し、出世させようとしている、
ある者は運試しのため戦争へ、
ある者は新たな島を発見するため海外へ。（松岡和子訳〔以下同〕）

とりわけ最後の一節からわれわれは、ヴェローナのような内陸と都市の住民よりもむしろ、海外のイギリスの冒険家たちのことを考えるようにうながされる。しかし、ヴェローナはシェイクスピアにとって、劇作品の背景となる都市であったのであろうか。ここですぐに、シェイクスピアの地誌という興味深い問題がもちだされても当然であろう。『ヴェローナの二紳士』において、ヴァレンタインの父親が、ミラノに向かって出帆する彼を見送るために「港で」待っている。第二幕第三場において、パンシーノがラーンスに叫ぶ。「馬鹿、急げ、ぐずぐずしていると潮を逃すぞ」。それはラーンスが答える。「潮を逃す、いいとも、仮に川が干上がったら、俺の涙でいっぱいにしてやる」。ところで、ヴェローナは潮の干満の影響を受け、水を通してミラノと結びつく河川に面していると想像されている。

『テンペスト』（第一幕第二場一四四行以下）においてプロスペローは、彼の娘ともにミラノの門で小舟に乗せられた様子を語る。

手短に言えば、やつらはわれわれをせきたてて艀に乗せ、
何リーグか沖に出た。そこに朽ち果てた
船が一艘用意してあった。装備は何ひとつない、
綱も帆も帆柱もない。鼠さえ本能的に
逃げ出してしまう代物。われわれはそれにほうりこまれた。
泣き叫べば海は吼え返し、ため息をつけば
風が憐れんで吐息を返してくるが、
その行為はかえって仇となるばかり。

こうして、ミラノは海へと続く水路に面して位置すると想像されている。そして、『じゃじゃ馬馴らし』（第一幕第一場四二行）のパドヴァの場面においては、ルーセンショーはこう述べる。「それにしてもビオンデロはどうした、あいつがもう着いていれば」。そして、その先では、「俺は着いているのだから」。パドヴァ市民グレミオーは、大型商船（argosy）を所有していることを自慢する（第二幕第一場三六八行）。さらにトラーニオは同劇（第四幕第二場八一行）において、ヴェネツィアとマントヴァの争いのために、ヴェネツィアに係留しているマントヴァの船について語っている。最後にわれわれは、内陸にある別の都市ベルガモに帆の製作者を見いだす。

エドワード・サリヴァン卿は、『一九世紀』（*The Nineteenth Century*）一九〇八年夏号に発表された論考において、表面的な不正確さは、シェイクスピアの側のイタリア地誌についての無知を露わにするどころか、彼がそれを詳しく知っ

ていたことを示そうと多大な努力を払っているという。彼によれば、一七世紀とそれ以前のイタリアの著作家たちの引用によって、また当時のロンバルディア地方の地図の助けによって、ミラノからヴェネツィアへの主たる交通手段は河川であり、また河川によってヴェローナからミラノへ旅することができたことが支持されうるのである。

G・ランバンは最近、別の考察を加えており、とりわけ、「潮」（tide）を急流における突然起こり、すぐに過ぎ去る増水と解釈しようと試みている。[☆7] というのも、アドリア海からのゆっくりとした潮がヴェローナに到達すると想定したうえで、潮に抗して河川を小舟で下るのは危険であったと思われるからである。[☆8] ランバンはこう結論する。それゆえ、二人の紳士と従者たちの航行は、「劇作家の無知から生まれた着想ではない。むしろ正確に、当時起こったことに対応している。小舟は、ヴェローナとミラノのあいだの唯一の便利な交通手段であった。しかし、このような情報を得るためには個人的な経験を積む必要がある」。

ミラノが海の近くに想像されている、『テンペスト』の文言から生まれる別の困難について、ランバンは「それは意図された不条理」であると主張する。というのは、ランバンの、すでに言及したこの劇作品についての解釈に従えば、実際のところ、ミラノは「海への接近がもっとも容易な」フィレンツェの代用とされた都市だからである。少なくとも、ランバンにはこのように思われている。

当座のところ、われわれは、エドワード・サリヴァン卿とG・ランバンが異議のでない仕方で、ヴェローナからミラノまで河川によって旅する可能性、それどころか利便性を証明したと認めておこう。しかし、シェイクスピアに関する事柄について言えば、この証明は場違いなものである。これらの劇作品の中には、郷土色に言及する別の示唆も存在しているが、これらの示唆のあるものはイタリアを示しており、もっとも多い示唆はイギリス、そしてとりわけロンドンを示している。

『ヴェローナの二紳士』において、万聖節に「ソウルケーキを物乞いする」習慣について（第二幕第一場二四〜二五行）、そして、聖霊降臨節の山車行列の芝居（pagent）について語られているが、最初の言及はスタッフォードシャーの習慣が反映しており、次の言及はチェスターの祭日を指示している。スピードは、あたかもミラノでのように、パドヴァでラーンスを迎える、先と同じ場面で、こう述べている。「飲み屋なら（to the alehouse）すぐに連れてってやるよ」。そして、ラーンスは「エイルへ」（to the ale）と述べており、すなわちビールを造り、売り、飲む田舎風の祝祭を暗示している。さて、勤勉な研究者ならば、おそらく、その当時パドヴァでビールが生産されていたことを証明することができるであろう。しかし確実なのは、もしシェイクスピアがイタリアの郷土色について考えていたとするならば、ビールではなくワインについて語ったということであろう。

『じゃじゃ馬馴らし』においてわれわれは、イタリア人の登場人物たちが歌うイギリスのバラッドの多くの冒頭箇所を聴くのであり、そこでは、ロンドンの一般的な徽章のひとつである「ペガサス」と呼ばれるジェノヴァの旅館について、また典型的なイギリス菓子の「アップルパイ」のように多くの切り込みを入れた袖について語られる。同様に、『十二夜』（*Twelf Night*）においては、イリュリアの都市の最良の旅館は、グローブ座の近くの安宿の名前にしたがって、「エレファント」なのである。

『ヴェニスの商人』（第二幕第二場一〇〇行）において、ゴボーはランスロットに言う。「うちの駄馬のドビンの尻尾より、お前の顎のほうがよっぽどもじゃもじゃじゃねえか」。『ヴェニスの商人』がヴェネツィアの郷土色に染まっていると考えている人びとは、ゴンドラと運河の都市における、一頭の馬の、ドビンという英語名の馬の存在を正当化するためには少なからぬ苦労を必要とするであろう。おそらく、エドワード・サリヴァン卿、あるいはG・ランバンのライヴァルは、ヴェネツィアには一六世紀の遅くまで馬が存在していたこと、そして、ヴェネツィアの小路の複雑な構造は、馬に都市の端から端まで歩むことを許すことができたことを証明しうるであろう。

しかし、もっとも明白な説明は、シェイクスピアが、ゴンドラやリアルト橋や渡し船について語っていようとも、駄馬のドビンを導入したときには、イギリスのことを考えていたのであり、その登場人物たちをイギリスの登場人物として扱っていたというものである。こうして、シェイクスピアが、海と通じており、潮の影響を受ける河川のある都市として、自らの劇作品を展開する都市についてめぐらした創意に関して到達しうる唯一の合理的な結論は、彼はロンドンについて考えていたのであり、ミラノとヴェローナという名称はたんなるラベルとして使用したということである。

そして、これはまさに、シェイクスピアの時代の芸術家について、われわれが予想しうることである。たとえば、画家は「三博士（マギ）の礼拝」を、われわれの地域の風景を背景にして、一部は東方風の衣服を、一部は同時代のヨーロッパ風の衣服を登場人物にまとわせて描いた。歴史的環境についての正確な探究に近いものは、ベン・ジョンソンにおいてのみ見いだすことができる。

イタリア的な劇作品の登場人物について言えば、誰ひとりとして、実際の民族的な特徴を有してはいない。たとえば、ウェブスターの『悪魔の訴訟』（*The Devil's Law-Case*）におけるイタリア人について、われわれは次のような表現を見いだす。

俺はイタリア人のように
裏切り者の、おまえの喉を
かき切る真似はしなかった。（第二幕第一場二六九行）

俺が思うに、イタリア人だから、
もっと俺に近づくことをおまえに許す。（第二幕第一場三二五行）

あるいは、以下のような短剣の使用についての衒学ぶった説明を見いだす。

外に出てこい、
俺の打ちひしがれた短剣よ、女の髪の中に
潜むことができ、そしてけっして露わにならない。
あるいはヘアピンとして、またせいぜいが
カール用の鏝として使うこともできるであろう。
だが、それはバミューダの豚の喉を
掻き切るのに適しただけの道具だ。（第三幕第二場九四行以下）

これらの言葉は、イギリスの観客による使用のための欄外註釈のように響いている。

しかしながら、シェイクスピアのイタリア的劇作品の第二のもの、『ロミオとジュリエット』（*Romeo and Juliet*）は、『ヴェローナの二紳士』よりもはるかに強い郷土色を示している。シェイクスピアの劇作品の中で、これはもっとも豊かな斬新な隠喩とユーフュイズムにあふれている。ロミオの愛は、セラフィーノ・アクィラーノ派の様式で表現される。シェイクスピアのソネットより以上に、ロミオの談話の中にわれわれは、一七世紀主義（セチェンティズモ）の先駆者たちの慣例的な綺想の影響を見いだす。その例は以下の文言である（第一幕第一場一三五行以下）。

朝ともなれば幾度となくそこでせがれを見かけるそうだ。
降りたばかりの朝露に涙を添え
深い吐息で霧をさらに曇らせて。

セラフィーノに帰されるあるソネットにおいて、詩人は、ネプトゥヌスが太洋を失ったとしても、自らの涙がこの神に幾多の海を与えることができると、また自らの溜め息が凪を失ったアイオロスの嘆きをうめあわすことができると自慢している。第三幕において、キャピュレットはジュリエットになぜ涙を流すのかと咎める。

どうした、噴水娘？　なんだ、まだ泣いているのか？
相変わらずざあざあ降りか？　その小さな身体に
舟や海や嵐が大集合だな。
お前の目は、涙が満ち干する海だ。
お前の身体は
その塩辛い波路を駆ける舟、ため息の凪は
涙まじりに、涙は凪まじりに荒れ狂っている。
すぐにも凪がこなければ、
嵐にもてあそばれるお前の身体は転覆するぞ。

ここでキャピュレットは、古色蒼然としたアレクサンドリア派の綺想[☆9]をくりかえしているが、それはエルコレ・ストロッツィ（「ここで波は波である……」）のラテン語詩にも、セラフィーノに帰せられるソネットにも、そしてトマス・ワトソンの『愛の情熱的な世紀』（*Passionate Century of Love*）の詩のひとつにも見いだされる。ワトソンでは次のように歌われている。

誤りが私の主たる帆、波の各々が涙、
主人は、愛ご自身。深い溜め息が凪、……[☆10]

一五世紀末のバロック様式者たちによる別の有名な綺想は、ジュリエットの口にのぼらせている（第三幕第二場二一行以下）。

ロミオをこの手に渡して。私が死んだら
返してあげる。切り刻んで小さな星にして。
そうすれば夜空の顔は美しく飾られ
世界じゅうの人が夜に恋をし
ぎらぎらした太陽など崇めるのは止めるだろう。

キャピュレットの庭におけるロミオの有名な情熱の発露（第二幕第二場）は、伝統的な綺想の連鎖にほかならない。第一に、窓は東で、ジュリエットは太陽である。第二に、ジュリエットは太陽に比せられ、輝きにおいて月を凌ぐ。第三に、彼女の目は二つの星である。そして、もしジュリエットの目が星々とともに置かれるならば、

頬の輝きは星たちを恥じ入らせるであろう。星座になったあの人の目は
空に光をあふれさせ
昼とまごう明るさに鳥たちはさえずりだすだろう。

第四に、ロミオは彼女の頬に触れるために、ジュリエットがはめる手袋になることを願う。さらに、ロミオはジュリエットの鳥になることを願う。これらの綺想の各々について、「フランボワイヤン」派と呼ばれうるような綺想の

ペトラルカ主義者たち、すなわちカリテーオ、テバルデーオ、セラフィーノなどの中から、並行的なものや類似的なものを採りあげるのは容易であろう。

ここで、シェイクスピアはロミオの中に、われわれ「イタリア」のカンツォーネ作家たちを模範として、イタリア風の情熱的な恋する者を描きだそうと意図的に狙ったのかどうか、という興味深い問が出来する。このような意図は、次のマキューシオの揶揄の言葉からいわば帰結するように思われる。「こうなりゃあいつもペトラルカばりの恋の詩なんか書き出すぞ。ラウラにかの人の恋人に較べればおさんどんなり」（第二幕第四場四二行）。

実際、シェイクスピアはイタリアのペトラルカ主義者たちの言語をきわめて巧みに摸倣することに成功したので、『ロミオとジュリエット』の二つの文言において、それらのイメージは、ルイジ・グロートの『アドリアーナ』（一五七八年刊）――これもジュリエッタとロメオの物語に想を得た――における、ロミオに対応する登場人物であるラティーノが用いたイメージと一致している。ラティーノもまた、庭の中で愛する者を待ちながら、次のように語る。

……私には門が開くのを聞こえる気がする、
門というよりも、「東」と呼ぶことができる。
さあ、私の太陽が輝く、真夜中には
雲をまとっていたのに。見よ、星々が
顔色を失って、かの光に場所を譲るところを。

そして、アドリアーナが愛について与える定義は、ロミオが与える定義と似ている。ロミオは次のように語る。

何のことはない、ああ、憎みながらの恋、恋ゆえに憎しみ。

ああ、そもそも無から生まれたもの！
ああ、憂いに沈む浮気心、深刻な軽薄さ、
形の整ったものの中の歪んだ混沌！
鉛の羽根、明るい煙、冷たい炎、病んだ健康、
眠りとも呼べない醒めた安眠！
恋をしながら少しも楽しめない。

グロートのアドリアーナはペトラルカ的撞着語法（オクシモン）の類似した連禱を噴出させる。

わが悪は、陽気さを欠いた快楽……
至上の善は、あらゆる悪の源泉、
最大の悪は、あらゆる善の根元……
喜ばしい毒を、我はわが眼で飲む……
氷と熱が混合された熱、
蜂蜜や甘露よりも甘い胆汁……
耐えられない、軽い頸城（くびき）、
幸せな苦悩、優しい苦痛、
生命で満ちた、不滅の死、
天国のように見える地獄。

両方の著作家における、以上に引用した文言のあいだの類似性と、恋人たちの別れの場面でのナイチンゲールの合図のゆえに、ある批評家たち、とりわけキアリーニは、二つの劇作品は論議の進め方や登場人物の性格描写においてはきわめて異なってはいるが、シェイクスピアがグロートの悲劇を知っていた、という結論に導かれた。私の見るところ、この類似性はペトラルカ主義の常套句に帰されるもので、偶然の一致であり、それが示しているのは、シェイクスピアは恋するイタリア人を巧みに描くのに成功したので、彼がロミオの口にのぼらせた言葉が、グロートというきわめて技巧的なペトラルカ主義者の口に由来すると見えることを可能にしたということである。

もしこれがイタリアの郷土色であり、しかも効果的であるとしても、マキューシオが、イタリアの剣術の用語とフランスの表現と衣服にこだわる、滑稽な流行の追随者を罵るとき（第二幕第四場）、駄馬のドビンについて語る『ヴェニスの商人』の登場人物ほどにイタリア的ではない。この場面でのマキューシオはまさしくロンドン市民である。『ヴェニスの商人』の郷土色は、ほとんど驚嘆すべきものであると主張されてきた。船員の正確な表現はソラーニオとサレーリオの口から発せられ、ヴェネツィアと本土を結ぶ渡し船についても語られている。そして、ポーシャとネリッサが歩かなければならない、ベルモント、すなわちモンテベッロとパドヴァの距離は正確である。[☆11] ポーシャは黄金の髪の持ち主で、それゆえ、ティツィアーノの絵画の中で永遠化されたタイプに属している。シェイクスピアのヴェネツィアの絵画を補完するために、モロッコ大公とその一行は欠くことができない。それは、ヴェネツィア人が描く祝祭や宮廷においては、常にターバンを巻いた東方の人物と、「輝く太陽から下された黒いお仕着せ」のアフリカ人が存在するのと同様である。

正確な細部が豊富に存在しているのをまえにして（シェイクスピアはヴェネツィア政府から保証された「異国人の自由」について知っていたし、『オセロー』においては、「夜警の役人」［第一幕第一場一八三行］について言及している）、駄馬ドビンや、ランスロットのユダヤ人たちとの次の会話は彼の勘ちがいのように見ることができるかもしれない。「みんながみんな豚肉食うようになった日にゃ、いくら金を積んだってベーコン一切れ買えなくなりますよ」という文言は、揚げたベーコンの一切れからなるイギリスの伝統的な料理を示唆している。しかしながら、ランスロットが食べものの点で勘ちがいをしたとしても、ゴボーが息子の主人に鳩料理を運ぶときは、ヴェネツィアの習慣について精通しているように思われる。

登場人物についていえば、他の土地よりもヴェネツィア的であると言うことはできない。彼らは、言葉のもっとも広い意味で人間という被造物であるがゆえに、結局環境に適合した者と見えるのである。彼らのタイプは普遍的なものであり、一方、エリザベス朝の煽情的な劇作品におけるイタリア人の登場人物は、一般的に非道徳的で淫猥な「南［イタリア］」という古色蒼然とした伝説から採りだされたカリカチュアである。しかし、それでは、イタリア人の忌まわしい悪党、イアゴーについてはどう考えるべきであろうか。

すでにわれわれが述べたように[☆12]、イアゴーは、ジラルディ・チンティオにおいては完全な悪魔的なマキャヴェリストであったが、シェイクスピアにおいては、もしオセローが彼の妻を寝とったという噂のゆえに彼が激怒したということを信じうるならば、はるかに人間的であり、弁護しうる人物となるであろう。もしこのようであるならば、シェイクスピアによって提示されたイアゴーの物語は、イタリアの説話（ノヴェッレ）で語られる多くの復讐譚の中に対応するものが見いだされるであろう。

しかし、イアゴーの性格描写が、シェイクスピアがマキャヴェッリの諸著作を知っていたことを意味しているわけではないことは、あえて指摘するまでもない。彼の劇作品に見いだされるマキャヴェリズムは、歴史的な諸典拠の中にすでに存在しているか（『リチャード三世』の場合のように）、あるいは、流布していた民衆的伝承に拠っているのである。

彼の偉大な劇作品の最後のもの、『テンペスト』において、シェイクスピアはイタリアの政治的陰謀について扱っている。しかし、それは通例のエリザベス朝演劇の扱い方とはなんと異なっていることであろうか。イタリアの陰鬱なパラッツォを背景にして、犯罪、復讐、最終的な虐殺というおなじみの連鎖とは反対に、嵐のあとには浄化された雰囲気が息づいている。天の恩恵は慰安をともなって、世界から隔離された島の岸辺に触れる。そして、この天から

図1——ジュリオ・ロマーノ
《ルクレツィアの凌辱》一五三六年
マントヴァ　パラッツォ・ドゥカーレ　カメリーノ・デイ・ファルコーニ

の甘美な感化が、われわれの前でくりひろげられる人間の物語に、聖史劇のもつ「神秘の」（mistero）荘厳さを賦与しているように思われる。

たしかに『テンペスト』を、犯罪にまみれたイタリアから想を得た通常の劇作品のひとつと呼ぶことはできないであろう。しかしそこには、フェルディナンド・ネーリが説得力のある仕方で、コンメーディア・デッラルテの一群の背景に遡らせたような、劇作品のイタリア的感興が漂っていることも疑いえない。シェイクスピアのほかの劇作品において、通常は当時のロンドン市民として表わされる道化（crown）もまた、ここでは、クローチェが指摘したように、ナポリの道化芝居からそのまま採られたように見える。

J・J・ドワイヤーは、シェイクスピアの名前の下に流布している（というのは、ドワイヤーは、著者としてオックスフォード伯を提案する異説の支持者であるから）、詩と演劇はイタリアにおいてのみ見ることができる光景への暗示を含んでいることを証明しようと試みている。[☆13] しかし、われわれは、ルクレツィアによるトロイアの狂乱の光景――『ルークリース凌辱』(*The Rape of Lucrece*, 1366 ss.)――の典拠を、ゴンザーガ家について『ハムレット』で語られており、ジュリオ・ロマーノが『冬物語』において彫刻家として言及されているからといって、マントヴァのパラッツォ・デル・テ[パラッツォ・ドゥカーレ]において見いだされる、このテーマに想を得たジュリオ・ロマーノの絵画(図1)に帰するために、いかなる議論をなすべきであろうか。むしろ、この『冬物語』におけるジュリオ・ロマーノへの言及は、シェイクスピアがきわめて曖昧な情報しかもっていなかったことを証明しているのではないであろうか。

もしシェイクスピアが、一五三六年にサウサンプトン伯の従者としてマントヴァを訪ねたあいだ――はなはだむずかしい仮定であるが――に、その絵画を実際に見たのであれば、ジュリオ・ロマーノへの言及において誤りは犯さなかったであろう。シェイクスピアは、ティツィアーノの《ウェヌスとアドニス》(図2)について知るためにイタリアを訪れる必要はなかったのであるが、ドワイヤーは、このテーマについてのシェイクスピアの小詩の冒頭と絵画との照合を認めようと考えた。

露の涙をこぼす暁の女神を振り切って
紅(あか)い顔した太陽神が中空に上るころ、
薔薇色の頬のアドーニス、馬を駆って狩へと向かう。
少年は狩をこそ好み、恋だ愛だのは鼻にもかけぬ。
　恋患いのヴィーナス、少年のもとへ突き進み、
　女だてらに言い寄ろうとする。

図2——ティツィアーノ・ヴェチェッリオ
《ウェヌスとアドニス》一五四〇年
マドリード　プラド美術館

「私より三倍もうるわしいお前」とヴィーナスは叫ぶ、
「他にぬきんでて美しい、野の花の王者、
どのような妖精も顔負け、男とも思えぬ美しさ」。（柴田稔彦訳）

この小詩では、全体の光景の中でアドニスは女神の訴えに無関心であり、あるいは嫌悪さえ抱いている者として表わされている（一方、古代のすべての詩人においては、彼は女神の愛に応えている）。「神話のこの近代的な解釈は、ティツィアーノの絵画を見た旅行者、あるいはそれに類した者の口からシェイクスピアへ、直接的に、あるいは間接的に届いたと論じることが合理的であろう」。このように、ドワイヤーの比較から強い印象を受けたA・リットン・セルズは結論している。☆14

《ウェヌスとアドニス》は、スペインのフェリペ二世のために一五五四年に描かれているので、ひとつには、シェイクスピアは絵画を見る機会をもつことができなかったと、そしてもうひとつには、この合致――もし存在するとして――が、画家と「詩は絵のごとく」（ut pictura poesis）という古来の定式が優位を占めていた時代に描いた詩人との意図の類似性に帰すことができると思われる。

しかし、ルドヴィコ・ドルチェのアレッサンドロ・コンタリーニ宛の、しばしば再版されている書簡が存在しており、その中でドルチェは、ウェヌスとアドニスの絵画――ティツィアーノの習慣にしたがって「詩想画」（poesia）と呼ばれている――が「イギリス王のために」描かれたと記している――「このアドニスの詩想画は短期間で制作され、優れたティツィアーノによってイギリス王へ送られた」。

この書簡はアドニスの美しさについて描写している。「彼は優雅で、あらゆる部分が優美で、肌の色合いはきわめて繊細で、そこには本当の血が流れている」。これに続く文章は、シェイクスピアにおけるウェヌスの訴えとの関係においていささか興味深い。

そこに見てとれるのは、この唯一無比の巨匠は、アドニスの容貌の中に、ある優雅な美を表現しようと試みたことである。その美は、女性的なものに与しながら、男性的なものから離れておらず、すなわち、女性の美の中に曰く言いがたい男性の美が、また男性の美の中に優美な女性の美が保たれている。それは実現はむずかしいが、きわめて心地好い、(プリニウスの言葉を信じるならば)アペレスによって最高に評価された混合である。彼のふるまいに関しては、いまにも動きだそうとしているように見える。その動きはすばやく、力強く、優雅な様子である。彼は狩猟への熱烈な欲望にかられて、ウェヌスから離れようと歩みを進めているように見える。

この場面について言えば、「その周りには、太陽のきわめて驚くべき輝きと反射が存在し、それは風景全体を照らしだし、生気にあふれたものにしている」。この書簡の中には、ドワイヤーの仮定を支持するように思われる少なからぬ箇所が存在しており、とりわけ、絵画が「優れたティツィアーノによってイギリス王へ送られた」という情報がそうである。このイギリス王はメアリー女王と結婚していたスペイン王フェリペ二世以外には考えられない。実際に、その絵画はロンドンに酷い状態で到着したので、修復するためにある程度の月日を要したのである。☆15したがって、ティツィアーノの絵画はイギリスで観覧されていたが、一方、このドルチェの書簡は、ある一巻本の中で読むことができた。それは、著名な人物や高名な才人と交わされた書簡集であり、一六世紀のあいだにしばしば再版されている。以上のことから、ティツィアーノの絵画とシェイクスピアの小詩の冒頭部との類似は、両者の関係について、われわれを完全に納得させるにはいたらないのである。

これまでの駆け足の瞥見から、われわれは、シェイクスピアがイタリアの事象についてだけではなく、イタリア語についてもまた知識をもっていたと結論することができるかもしれない。たとえば、『尺には尺を』(*Measure for Measure*)において、彼はジラルディ・チンティオの劇作品『エピティア』(*Epitia*)から人間のとりかえの着想を得た可能性がある。というのは、このとりかえは、『エピティア』の典拠である説話『百物語』(*Hecatomimithi*) 第八日第五番では起こらないからである。また、ウェトストーンによる、チンティオの説話の英語への翻案の中にも見いだせないからである。

イタリア語の書物はシェイクスピアが行き来していた社会においては頻繁に読まれていたので、彼がわれわれ「イタリア」の文学を知っていたことは異例のことではまったくない。むしろ、彼が知らなったとすれば、その方が驚くべきことであろう。おそらくこの知識が皮相的なもの以上ではないことは、シェイクスピアは通例、イタリア語作品の英語による翻訳や摸倣に拠っていたという事実から明らかであると思われる。これはとりわけ、ソネット集の場合に顕著である。その伝統的な文言をわれわれは、イタリア語やフランス語の典拠よりも英語の典拠に求めることができるのである。

より謎めいているのは、郷土色への示唆におけるシェイクスピアの正確さである。われわれはすでに、そのいくつかについて検討した。そして、もしランバンが、シェイクスピアがミラノの地勢について示している知識を過大視しているとしても、『ヴェローナの二紳士』において、その町に近いサン・ジョルジョの井戸への言及はきわめて正確であると思われる。さらにわれわれは、『ヴェニスの商人』において、パドヴァ人の名前としてベッラーリオの名前を、また『ロミオとジュリエット』において、ジュリエットの葬儀の詳細(それはブルックの詩にすでに見いだされる)を、そしてヴェローナの宵のミサの叙述を見いだす。

われわれはすでに、シェイクスピアのイタリア風劇作品において郷土色を危ういものにする不一致について指摘したが、それらは喜劇的場面において普通に見いだされるものであり、その登場人物は実際にはイギリスの道化師である。その演劇的使用は——オペレッタにおけるように、そして今日の人形芝居におけるように、古いコンメーディア・デッラルテにおいて——常に喜劇的場面に民族的で同時代的特徴を与えるべきものであり、それは主題となっている場面の行為の時と場所とは関係しない。結局、それらの不一致がイタリア的雰囲気の効果を減じているとしても、しかしわれわれには、シェイクスピアによる正確な郷土色の強い示唆について理解することが課題として残っている。いかにしてシェイクスピアは、あのような細部についての知識を得ることができたのであろうか。

注目すべき点は、それらの示唆がイタリアの特定の地域、すなわち、ヴェネツィア、そして近隣の都市のヴェローナ、パドヴァ、マントヴァ、ミラノに限定されていることである。『終わりよければすべてよし』における、フィレンツェの土地への言及は、ランバンの才智にあふれる夢想の結果でしかない。そして『空騒ぎ』（*Much Ado*）のメッシーナについては、言うまでもなくそれは想像の都市である。

われわれはここで、二つの可能な選択に直面している。すなわち、シェイクスピアは北イタリアを訪れたのであろうか、それとも、彼はロンドン在住のイタリア人から情報を得たのであろうか。まず、最初の仮定を認めることを納得させうるような証拠は存在していない。第二の仮定について言えば、シェイクスピアはイタリア商人たちと出会う機会を頻繁にもつことができた。『十二夜』において、イリュリアの未知の都市の「最高の宿屋」として彼が賞讃しながら想いおこした「エレファント亭」は、当然にも、バンクサイドの「オリファント」と呼ばれた宿屋と同一であると認められており、そこではG・S・ガルガーノが示した[☆16]ように、イタリア人の客たちを受けいれていた。

しかし、彼とイタリアの商人、あるいは彼と山師たち（彼らの多くは北イタリアから、とりわけ——当然のことだが——商業的中心地のヴェネツィアからやってきた）との関係がいかなるものであるにせよ、シェイクスピアは少なくとも一人のイタリア人を、イギリスにおけるイタリア文化の使徒、ジョン・フローリオを知っていたということは、現在、広く認知されているように思われる。[☆17]シェイクスピアとフローリオは同じ環境の中で行き来していた。すなわち、両者ともサウサンプトンの宮廷に属していた。

フローリオはフランス語とイタリア語を教えていた。[☆18]そして、バーリー卿ウィリアム・セシルが、彼をサウサンプトン公の家庭教師として公の側に置いた可能性があることが推測されている。そのとき、公はセシルの保護下にあったが、エセックス派において重要人物となることが予期されていた若者をめぐって詳しい情報を、セシルはフローリオから得ようとしたと目されている。もし、フローリオが実際に、このあまり愉快とは言えない任務を担っていたならば、なぜシェイクスピアが『恋の骨折り損』において、衒学ぶったホロファニーズという人物をあざ笑うのに躊躇しなかったのかが理解しうるであろう。

フローリオはベン・ジョンソンに、この劇作家が『ヴォルポーネ』(*Volpone*)において誇示している、ヴェネツィアに関連する情報を提供した。[☆19] ブリティッシュ・ミュージアムには、ベン・ジョンソンの自筆の献呈文が記された、この劇作品が一部所蔵されている。「愛する父にして尊敬する友、ジョン・フローリオ氏、ムーサたちの補佐に。ベン・ジョンソン、友愛と愛情の証として」。

フローリオによる、『第一および第二の果実』(*First and Second Fruites*)と題された、イタリア語学習のための手引書から、『じゃじゃ馬馴らし』の第一幕第二場——しかしながら、全面的にシェイクスピアが書いたと言うことができない箇所——において見いだされるイタリア語の文言が採られている。[☆20]「ロンバルディア、ここは偉大なイタリアの楽園だ」(『じゃじゃ馬馴らし』第一幕第一場)は、フローリオの次の文言(『第二の果実』)、「ロンバルディアは世界の庭だ」に似ている。そして、おそらくフローリオに、イギリスに適用された「世界の庭」という文言は遡るのであろう。[☆21]

フローリオの語彙はとりわけロンバルディアの生彩を帯びており、[☆22]『第一の果実』第八章から認めることができるように、ヴェネツィアは彼にとってイタリアの第一の都市である。このことがまさにわれわれに、なぜシェイクスピアのイタリア風劇作品における郷土色の強い示唆が、ヴェネツィアとその周辺の都市にかぎられるかを理解するための一助になりうる。

フローリオは雄弁家であり、その様式上の趣好は冗漫な美文という欠陥をともなっていた。彼の文言のあるものには格言的な表現が散見され(彼は格言集を編纂した)、すでに指摘されているように、ジャンバッティスタ・バジーレの諧謔にあふれたバロック的精神に先駆しているように思われる。それにもかかわらず、彼によるモンテーニュの翻訳は、皮相的な優雅さに満ちているものであるが、エリザベス朝の劇作家たち、とりわけシェイクスピアにとって古典であり、思索の源泉ともなり、彼はそれから自らのハムレットを構想したのである。

フローリオのイタリア語会話と語彙の手引書に、シェイクスピアの同時代人はわれわれ〔イタリア人〕の言語についての多くの知識を負っていたにちがいない。彼はベン・ジョンソンによって、「ムーサたちの補佐」(the aid of his Muses) と呼ばれたのであり、おそらく、シェイクスピアからも類似した表現で呼ばれるのがふさわしいであろう。彼はたしかに衒学者であったが、密告者でもありえたし、一言でいえば、彼よりも偉大な事柄のための道具、イタリアという世界の庭へと旅する者たちの補佐、さらには、奇妙な運命のゆえに、詩という偉大な庭へと旅する者たちの補佐でもありえた。

(一九六二年〔伊藤博明訳〕)

# ジョン・ダンとその時代の詩

一六世紀の詩人たちにおいて、「愛の夢」(sogno amoroso) という伝統的なテーマほどに歌われるものはほとんど存在しなかった。イタリアのソネット作家たちによって全ヨーロッパに流布したその定式とは以下のものである。詩人は、彼の愛する残酷な女性が自分に優しくなり、自分を慰めてくれることを夢見るが、まさに自らの幸運を享受しているときに、彼は夢から見捨てられる。この粗い図式に、装飾の広い選択肢がともなっていた。詩人は夜についての簡潔で優雅な記述から、あるいは〈夢〉へ向けられた悲嘆から、あるいは歓喜の叫び――女性についてのありふれたペトラルカ風の記述と組みあわされた「これが美しき髪なのか……」――から、始めることができた。

もし四行詩節を書きこむことができなかったならば、モルペウス、エンデュミオン、ディアナ、イクシオン、それに類似した心地好い紫衣をともなう神話に助けを求めた。あるいは、太陽の消失と、夜中におけるもうひとつの対象、すなわち愛する女性の出現をとりかえることもできた。一五八〇年を少し過ぎたころ、トマス・ワトソンは(エルコレ・ストロッツィのラテン語詩集から)、「詩という最も甘美な鉱脈において際立っている人びとにおいては一般的な……この種の着想」を摘みとり、彼の夢の縁に神話の刺繍をほどこしはじめた。

ティタン［太陽］が海の精テティスの膝で休息をとっても

私はベッドでまどろみながら、休むことはなかった、
夢の神モルペウスが偽りで残酷な戯れをおこない、
私がいつも追い求めていた彼女を私の前に現わさせるまでは。
　そのとき私は、彼女が私の苦悩を終わるためにきたのだと思った。
　しかし私が目覚めると、ああ、こんなことはなにもなかった。

ああ、空しい希望よ。イクシオンのように

私は喜悦のかわりに空気を抱きながら
〈愛〉を策略を弄した者として攻めたてた。
彼は、私の眼を閉じて、二度目の夢を見させた。
そして私に言った（そう思えたのだが）、私は少しのあいだ
　イクシオンの苦悩を耐えなければならない、と。
　彼の両腕は偽りの暗い雲を抱く、ユノの姿ととりちがえて。

しかし、ここで別の女性が愛する彼の前に現われる。それは〈希望〉の擬人像である。

私がこうして横たわり、少しのあいだまどろみながら、
〈愛〉が与えた私を苛む宿命に苦悩していると、
天使のような容貌の神々しい女性が私に、

目を覚まして、私の乱れた心を静めるように命じた。
それから私は目を覚まし、そこで起こったことを忘れてしまったが、
最後にこうして助けてくれたのは、〈希望〉であることがわかった。

ちょうど同じころ、スペンサーが『コリン・クラウト故郷に帰る』(*Colin Claut's Com Home Again*)で「不滅の歌をつくるのに適している」アルキュオネとして賞讃した、別の二流詩人のアーサー・ゴージズは、壮麗さには欠けるが、同様に陳腐な仕方でこのテーマを扱ったが、それはデポルト(『ディアナ』[*Diana*]第二巻「夢」[Songe]の「私が深く愛する女性は残酷なままで」)に着想を得ている。☆1

私が深く愛した女性はひどく
　残酷であったが、
私の夢に現われた、
　この別の夜に、私のもとに。
私に向ける視線は甘美で、
　私にとても優しく声をかけるので、
あたかも私に憐れみをかけよう
　として語ったかのようだった。
私は苦悩に押しつぶされて、
　彼女に言った。
美しい方、あなたの奴隷である

私の心を軽蔑しないでください。
そして、濡れた眼で
ただこのことを懇願します。
あなたの恩顧を得られないならば
私は死ぬしかないのです。
この言葉に対して、彼女は二つの
甘美で優美な珊瑚を開いて、
こう言った。静謐でありなさい、
あなたは、もはや嘆いてはなりません、
あなたのやつれた両眼から
悲哀の滴をしたたらせてはなりません。
あなたの苦悩が生みでるところから
慰めを受けとりなさい。
おお、なんと甘美で奇妙な策略だろうか。
なんと不思議な歓喜であろうか。
しかし、なんと速く消えたのか、
この夜の悦楽は。
ここで、この突然の喜悦は
私の心を強く打ったので
私は強い苛立ちを覚えながら、

この夢から目覚めた。
あるいは、不分明な状態のままで
私の頭を起こし、
彼女の優美な手に接吻すると、
彼女の姿は消え去った。
そこで私は新しい夢を
見ようと考え、
眼を閉じてみたが、
それも無駄に終わった。
最後にすっかり目覚めて、私は言った。
過ぎ去った夢よ、
私は、ブラダマンテのような
あなたから裏切られた。
しかし、私が最も好むものを、
私の想い人はここで見つけるだろう。
私の身体が休んでいても、私は常に
彼女を心に抱いているだろう。

当然のことながら、「愛の夢」というテーマの最良の展開は、シドニー（『アストロフェルとステラ』第三八番」「こうして夜に、眠りが重い翼とともに始まるとき……」）とシェイクスピア（『ソネット集』第一八番」「私がしっかり眼を閉じるとき、私の眼は最も良く見える」）に見いだされるであろう。しかし、技巧がより勝っているとしても、詩の精神は、ワトソンの神話風で貧相な寄せ集めや、アーサー・ゴージズ卿に負っているデポルト『夢』の摸倣の精神とひどく異なるわけではない。

それでは、伝統的な定式を忠実に再現しているこれらの詩篇を側に置いて、ダンの「夢」（'Dream'）を読むことにしよう。

愛する人よ、あなたでなく他の人だったら、
この楽しい夢を、破って欲しくなかった。
　この夢の主題は、
空想だけで把握できぬ、理性が必要なのだ。
だから、あなたが私を起こしたのは賢いこと。
いや、あなたは夢を破らずに、続けてくれている。
あなたほど真実にあふれた女性は、ほかには見当たらない。
あなたを想えば、夢も真実に、虚構も歴史となる。
この腕にお入り。一人で夢を見せては惜しい、
そう想ってあなたは来た。残りは二人で演じよう。（湯浅信之訳、一部改変、以下同）

ダンの詩がいかなる点において、新しい手法を表現しているのかを理解するためには、シドニーやシェイクスピアのような詩人であっても、「愛の夢」の古色蒼然とした処方箋に敬意を払っていたことを考えれば十分である。詩人は、目覚めても、もはや不在の美への修辞的な悲嘆を漏らすことはない。サンナザーロ（「眼が開くと、ああ、私は太陽

を見た」）におけるように、太陽が彼を目覚めさせるのではなく、愛する女性がまさに彼の部屋にやってくる。そして、彼女の両眼の輝きが詩人を目覚めさせる。

物音に起きたのではない。稲妻のような、
蠟燭のようなあなたの眼が私の眼を覚ました。
　正直に言うなら、
（あなたは真を好むから）、一瞬、天使かと思った。
だがあなたは私の心をすっかり読みとって、
天使もおよばぬほど、私の思想を理解していて、
どんな夢を見ているのかも、嬉しさのあまりに
私が起きるのも承知して、潮時にきてくれた。
だから、あなた以外の人だと思っては申しわけない。
そう思うようなら、あなたを冒瀆することになる。

ワトソンに現われた女性像のように、この新しい詩人の女性が天使の容貌を具えているとしても、その効果はなんと異なっていることであろうか。まだダンの最終節は、ワトソンにおけるように、希望の徴とともに閉じられているが、二人の詩人の口調はこれ以上異なることがむずかしいであろう。

ここにきていてくれたので、あなたがあなたと
わかったが、起きて帰れば、あなたはあなたかと

疑うことになる。
愛よりも恐怖の方が強ければ、その愛は弱い。
不安、羞恥、名誉などの混ぜものがあれば、
精神だけの、純粋で、美しい愛ではなくなる。
そうか、燃えやすいように、松明に火をつけて、
消しておくが、あなたもそうする気なのだ。私に
灯を点して帰ったが、またきてくれると考え、
希望の夢を見よう。でなければ死ぬだけ。

ここで提示したような対照（ダンの詩作品の大部分についてくりかえすことができよう）は明らかに、この詩人に特徴的なもの、彼の作品の劇的な特質[☆2]、それらの韻律の独創性、それらの難解で散文的なイメジャリーを浮彫りにする。詩は歌われるのではなく語られる。詩人は、アポロンと彼の耳に囁くムーサたちとともに、詩の華麗な外衣の中に佇んではいない。彼は抽象という黄金の雲から降りてきて、愛する女性と議論する。彼女は、その出現が愛する者を沈黙させる、遠く離れた半神的な被造物ではない。彼女は天空を背景に横切る微かな形象ではないし、また彼女と比べられるのが人間ではなく太陽や宵の明星であるというわけでもない。

このような女性が、ソネット作者たちの、フィッリ、ディーリア［サミュエル・ダニエル］、ダイアナ［ヘンリー・コンスタブル］、イデア［マイケル・ドライトン］などと呼ばれる人たちであった。ダンによって愛された女性という存在は、とりわけ肉と骨を有する人間であり、それゆえ、現実の中で夢を完成させるために導入されえたのである。詩人の情熱にあふれた論証は、荘厳で荘重な詩行――その完全化が多くの生気のないソネットを贖う――を含むものではない。ダンの詩の中に、それ自体で意味をなすような詩行を、あるいは、音楽的な抑揚の中に魂の全状態を表現する

力を誇ることができるような詩行を見いだすのは困難であろう。

その意味は詩節の最後においてはじめて、あるいはむしろ、詩の最後においてようやく完成される。統一性は、多くのソネット詩人のように、詩行でも、また詩節でもなく、ある動作から別の動作へと進んで行く「蛇状の」(serpentinata)歩みにおける、作品全体に存するのである。[☆3] ダンの技巧とルネサンスの詩の一般的な技巧との関係は、マニエリスムの技巧とルネサンスの絵画の技巧との関係と同じである。ダンが唯一専心していたものは、全体の効果である。

この観点から見れば、ダンの詩篇は、マリーノによって、また「記念日の歌」(‘Anniversaries’)におけるダン自身によって書かれた綺想主義的な詩(poesia concettistica)一般とは著しい対照を示している。マリーノは公然と、詩人の目的とは読む者のうちに驚異と驚愕を生みだすことであると宣言していた。ダンはこのように明快に、自らの装備について公表はしない。彼が驚嘆を惹き起こすとき、それをダンは、驚嘆をもたらす類似の意図的な選択よりもむしろ、彼の精神が作用をおよぼす仕方によって実現する。マリーノの目的は綺想(concetto)それ自体であり、彼の詩はエピグラムであるか、あるいは、エピグラムという装飾的な冗句の連続体におちいる。

この種類の詩の典型的な例は、クラショーの「泣く人」(‘The Weeper’)に見いだされる。しかし、彼において主要な事柄は綺想ではない——たとえ彼が、われわれには奇妙に思われ、その結果として、われわれの関心全体を方向づけるにふさわしい綺想を所有していたとしても。彼にとって主要な事柄は、彼の精神の弁証法的偏向である。

グリアソン氏が「形而上学」詩の定義、[☆4] すなわち、叙情詩の「論証的で精妙な発展」において強調したさまざまな要素について、ダンはグイド・グイニツェッリ、グイド・カヴァルカンティ、小品のダンテのような中世の詩人たちと共通している。ほかの形而上学的な特徴、「情念と思考、情感、論理の特有な混合」——それから「学識に満ちた想像力」への偏愛が帰結する——は詩においてとくに稀なものではなく、エリザベス・ホームズが洞察力にあふれた研究において示したように、多くのエリザベス朝の著作家たち、とりわけ劇作家においてその痕跡を見いだすことができる。[☆5]

実際、T・S・エリオットが与えた定義「私は、形而上学詩によって、通常は思想によってのみ理解されるものが感情の把握のうちにもたらされること、あるいは、通常は感じられるだけのものが、感じることを放棄せずに、思想へと変容されることと理解する」[☆6]は、マルティーノ氏がボードレールの霊感について述べた次の定義とことのほか一致している。[☆7]「理念が『悪の華』に欠如していることはけっしてない。言葉の広い意味で、より哲学的に考え抜かれている書物はめったに存在しない。しかし、その理念は、ほとんど抽象化されずに探究されている。その理念は感覚によってもたらされ、あるいはむしろ感覚に包まれて到着する。それはまさに、ヴィクトル・ユゴーが語っていた『震え』（frisson）である」。

これら二つの定義を並置しても――私が思うに――T・S・エリオットは不快な気持ちを抱かないであろう。というのも、彼はヨーロッパの詩における三つの形而上学的時代について、すなわち、中世の時代、バロックの時代、そして、ジュール・ラフォルグを主な代表者とする現代について語っていたからである。「感覚によって把握された思想」という特質は、ダンにおいて顕著ではあるが、彼の詩だけを描写するだけは十分でない。次のような詩句はどうであろうか。

愛する者
当代の博学な賢者たちなら、彼女の中に
世界中に思いをめぐらして見いだすのと同じだけの
すばらしい奇跡の数々を見いだしていたろうに。（高田茂樹訳、一部改変）

この詩句は、もしそれがマーロウ（『タンバレン』［*Tamburlaine*］第二部第四幕第二場八三行以下）のものだと知らなければ、われわれはダンに帰するであろう。[☆8]あるいは、次の詩句をとりあげよう。

何千もの溜め息をついてせっかくお互いを
買いとったのに、泣く泣く安売りせねばならない、
あっけない溜め息ひとつで。（松岡和子訳、一部改変）

もし最後の行がなければ、この詩句は、シェイクスピア（『トロイラスとクレシダ』［*Troilus and Cressida*］第四幕第四場三八行以下）というよりもむしろダンの作品の中に探すことができるであろう。さらにダンに近接しているのは以下の詩句である。

語彙、用法、読解、すべてが
学識者と呼ばれる者に見いだすことができる。
だが、彼の人生は無知な者のそれとして過ぎていく。
それらは、自分は使用することができない、
痛風病みの職人の道具でしかない。あるいは、子どもの技のようなもので、
彼らは習慣と記憶によって、自らの教訓をつくりあげ、たしかめるが、
彼らが学ぶ善き言葉の実質についてはまったく見分けることができない。
あるいは、われわれ錬金術の智者たちのように、その術のあらゆる
語彙を呼びだすことはできるが、一片の黄金もつくることはできない。

ここでわれわれには、右に引用した詩句の作者であるチャップマン[☆9]について、ホームズ女史が言うところの「あま

り敏捷でも情熱的でもないダン」を聴いているように思われる。ダンの想像力と同様に、チャップマンの想像力は、彼が読んでいる書物のさまざまな章句から、時には粗雑な註釈から、あるいは、ナターレ・コンティの神話的な戯言に見いだすことができた衒学的な情報から強い刺激を受けている。

詩人はときおり、自分の才智がさまざまな源泉から選びだした、修辞的な比喩と図像の適切さと新奇さについて誇っている。ほかの詩人たちがしばしば実生活の直接的経験から受けとる「震え」を、チャップマンはしばしば──ダンのように──神学的で倫理学的な論証、衒学的な註釈、そして学識ある辞書から採り入れる。疑いもなく、チャップマンがダンと共有している「印象深い類似性[☆10]」は、部分的には、彼の詩が──ショエルが指摘した[☆11]ように──「ダンの場合と同様に、中世の形而上学の中に深い根を降ろしている」という事実に負っている。しかし、その類似性が最近、何度もくりかえして指摘されてことを示すために、もうひとつ引用することをお赦しいただきたい。

このような結びつきは偶然ではない。それは精神的な類縁性の結果として現われている。おそらく、ダンの『唄とソネット』（*Songs and Sonets*）は、チャップマンが彼の悲劇を、あるいは「平和の涙」（'Tears of Peace'）を書くまえに、内密に広く読まれていた。そして、ダンの「この世の解剖」（'An Anatomie of the World'）は、チャップマンのエレジー詩「ユージェニア」（'Eugenia'）のほんの数年前に発表されていた。二人の詩人はたがいに良く知っていたであろうし、両者ともベン・ジョンソンの知人で、両者ともベッドフォード伯爵夫人の文芸サークルに属していた。ともかく、チャップマンは遅かれ早かれ、ダンを読んでいたにちがいない。だが彼は、いくつかの箇所では、ダンを先取りしている。というのは、形而上学的感染菌は空中に漂っており、そしてチャップマンはおそらくそれに感染したのである[☆12]。

チャップマンがダンから学ぶべきものをもっていたか、ここで問うことができる。しかし、別の劇作家ウェブスターの場合には、われわれは摸倣についての積極的な証拠をもっている[☆13]——このような摸倣は当然にも、精神的な類比的構造を前提としているが。ターナーの『変形された変身物語』（*Transformed Metamorphoses*）の中にわれわれは、ダンの詩作品の背景を形成している転換期の世界の同じ混沌が反映されていることを見いだす。

のちの時代が形而上学詩の中に発見した奇妙さの多くは、もしわれわれが、科学革命の時代に二つの世界、二つの文化のあいだで生きたこれらの詩人の位置がどのようなものであったのかを理解しようと試みるならば、説明することが可能であろう。ダンが、この特有な位置についての最良の描写を提供している。ダンの文化的装備は、さまざまな点において、中世の思想家のものであった。ここから、彼のある詩がダンテの時代の詩と示している興味深い類似性が生じる。それらの相違とは、中世の詩人たちが自らの詩制作の根底として受け入れていた科学的・哲学的理論を信じていたのに対して、科学革命の時代に生きていたダンは、変動しつつある世界が提示する混乱状態を、懐疑的な眼によって眺めざるをえなかった。

彼は一方で、ローマ教皇たちと、中世の諸教説の奇妙な集成（corpus）を有していたが、他方でコペルニクスとブラーエ、ガリレオ、ケプラー、そしてパラケルススを有していた。思想は彼の関心を惹いたが、彼自身は独創的な思想家ではなかった。彼は芸術の形態で自らを表現することを狙った。それゆえ、確証されつつあった新時代の信条も、また多くの世紀の古びた科学も、彼に対しては、自らの詩と説教のための描写をばらばらに提供するのに寄与しただけであった。彼は、係争中の事案に適した論証を選ぶ弁護士のごとき者であった。すなわち彼は、普遍的な価値をもつ真理の探究者のごとき者ではなかった。

科学的な諸理論は、彼の奇妙な精神にとって推測や可能な思弁という価値だけをもっており、確固とした信念の時代におけるように、幻想の世界とは明確に区別された世界に属するものではなかった。むしろそこには、幻想から科学的思想への、また逆の方向への示唆の不断の交換が存在していた。そしてダンは、まさに万華鏡におけるように、新旧の科学の断片と、より適切にも詩の世界に属しているイメージを混淆することができた。言うなれば、この精神的な浸透の状態がおそらく、われわれがエリザベス朝の多くの著作家の中に認知する「感覚によって把握された思想」（sensuous thought）の源泉なのである。

ダンにきわめて特徴的であると思われる論証的で弁証法的な様態についても、彼の先行者たちのあちらこちらに、作例を見いだすことに事欠かない。ホームズ女史はわれわれの注意を、「ダンの手法で、同時に精妙で情熱的に諸観念と戯れる」シドニーの『アストロフェルとステラ』（*Astrophel and Stella*）に向けさせた。このソネット［第六二番］は有名な次の詩行で終えている。

　愛しい人よ、私を愛さないでほしい、もっと私を愛してくれるために。

これに、あるいはこれに類した趣好がどこに起源をもつのかを見いだすのは困難なことではない。われわれはシドニーやドレイトンの詩句にそれを読みとる。

　あなたがずっと一人でいるとき、あなたは一人ではない。

あるいはまた、パンフィーロ・サッソの詩句に。

　おまえはおまえのものでなく、私のもの。私はおまえのもの、私のものでなく。

あるいは最後に、ロンサールの詩句に。

おまえの中に私はあり、おまえは私の中にある。
私の中でおまえは生き、私はおまえの中で生きる。
こうして、われわれはひとつだけの小宇宙をつくる。

われわれは、ペトラルカが彼の先行者たちから受け継いだスコラ的な精妙さへの偏愛へと立ちかえらされる。実際のところ、シドニーの地口の対照物はグイットーネ・ダレッツォに見いだすことができる。

……私を愛するために、あなたは私を死ぬほど嫌いなのだから、
私が愛さなければ、あなたは私を愛するだろう。

そして、グイットーネ派ならばダンの「禁止令」(Prohibition')を書くことができたであろう。

私のことを愛しているなら、私を愛さないように気をつけろ。

あるいは、ダンの「恋人無尽蔵」(Lovers Infinitenesse')を。

すべての愛を、まだ貰えないのなら、
恋人よ、私にはそれは得られない。
……
そのとき、あなたがすべてをくれても、

それはその時点での、あなたのすべて。

このような弁証法的様式で書いた最初の英国詩人は──私が思うには──最初のペトラルカ派のトマス・ワイアット卿であった。われわれは、次の詩の論証的な様態の中に、ダンの先駆を見いださないであろうか。

和解をもたらし、合致させる。
……
自らの心を遠くにもつ者は、
もし横たわれば、人びとが言うように、
そこで生き、心を失くしても、一日だけ
生命を保ち、粘土に化すこともない。
　それは不可能なこと。
……
だが、すべてのものを服従させる〈愛〉は、
その力にはいかなる生きものも抗しえないが、
私の中に働きかけ、私はこれらの奇跡が
真実であることと悔やむであろう。
　それは不可能なこと。

もしワイアットがダンに先駆しているように見えるならば、それは彼がペトラルカに回帰しているからである（ソ

ネット「私は一歩ごとに後ろをふりかえり」)。

そのとき、悲しい涙を流しながら、ひとつの疑念が
　私に湧きあがってきた。どのようにして私の四肢は、
　精気から遠く離れて生きていられるのか。
そこで、〈愛〉が私に答える。おまえは覚えていないのか、
　それが、すべての人間の本性から解かれた
　恋する者たちの特権であることを。

たしかに、ダンとともに述べるならば、「無邪気な恋人たち」(harmless lovers)は、すでにペトラルカの時代に、このような奇跡を体験していた。形而上学的な精妙さ、「恍惚」[☆14](‘The Extasie’)に特徴的なあの精妙さの例としては、ペトラルカのソネット六三番[『カンツォニエーレ』九四]以上のものを見いだすのは容易ではないであろう。

両眼を通して、心の奥に、思い焦がれた女性が
　いたるとき、そこからほかの者はすべて離れ去る。
そして、魂が分かち与えた力が
不動の錘のように、四肢を押さえつける。
そして、第一の奇跡から第二の奇跡が
　そのとき生まれ、自分自身から切り離された
　部分は逃れでて、かの部分に帰着する、

　　復讐がなされ、彼の追放が喜ばれるところに。
　こうして、二人の顔にひとつの死の色が浮かぶ。
　　生気あるものと見せていた活力が、
　以前にはあった、どちら側にも、もはやないから。
そして、私にはその日、このことを想い起こしていた、
　　私が、二人の恋人たちは変わっていくのを見たことを、
　そして、それを私自身について見るのが常であったことを。

　ダンの詩を、きわめて長い時が過ぎたのちに、総覧するならば、われわれは、この詩人がある意味で、英国の反ペトラルカ的反動の頂点にありながらも、その教養の中世的な部分という特徴のゆえに、彼自身が一人のペトラルカ派であったことを認めないわけにはいかない。ダンは、シドニーのような意味でのペトラルカ派ではない。シドニーは、自分の霊感が独自なものであることを公言しているにもかかわらず、大陸のソネット作者たちの最も流布した比喩をくりかえすだけであった。それどころか、彼が他人の知性を盗みとったわけではないと誇っていたとき（『アストロフェルとステラ』ソネット七四番「私は他人の創意を抜きとる者でない」）、それはデュ・ベレーのオード「ペトラルカ派に抗して」（Contre les Pétrauquistes）から採られたものであった。否、ダンは現実には、同時代の詩に対立していたことを自ら感じていたにちがいない。そして、もし彼がある点までペトラルカ派としてとどまっていたとするならば、このことは、彼がいかに強い個人的な反感をもっていたとしても、多かれ少なかれ、結局、所定の歴史的環境に属することをまぬがれることはできないという事実に負っている。
　ダンの「感覚によって把握された思想」は、多くのほかの詩人の中にも見いだすことができる。しかし、もしわれわれが、ダンの詩に似た響きを奏でる者たちの詩句を、彼らの文脈の中に戻してみるならば、マーロウも、シェイク

スピアも、チャップマンでさえも、ダンには正確には類似していないことを、われわれは容易に納得するであろう。というのは、彼らのそれぞれの詩句に形而上学的要素が見いだされるとしても、われわれがまさにダンの中に認知している特有な趣好を彼の詩に付与したのは、彼における形而上学的要素の頻出にほかならないからである。

さらに加えて、思想のスコラ的な精妙さは、多くの詩人たちによってときおり装われているが、ダンが用いたような演劇的な技巧によって支えられたものを、誰においても見いだすことはできない。この観点から、「一周忌の歌」（'First Anniversary'）と「熱病」[☆15]（'A Feaver'）との比較はきわめて意味深い。「一周忌の歌」は、一人の少女エリザベス・ドルアリーの死とともに世界がその終焉を迎えたという中心的な観念を有しており、より単純な形式ではあるが、同様に一人の少女の死に霊感を受けたサンナザーロのソネットで扱われているのが見いだされるテーマへの簡素な縁取りとして考えることができる。

われわれの時代に、新しい天使が
　この低い世界に現われた、気高く、慎ましく。
そして、美しく、光り輝き、生気に満ちていた
彼女は至高の領域へと飛び還ってしまった。
幸福な天よ、おまえは輝き、光で満ちている、
　それを大地は失い、暗くなる。
祝福された霊たちよ、おまえたちはわが神聖な魂を、
おまえたちの眼によって、つねに悦びに満ちて見ている。
だが、盲目の世界よ、おまえが嘆くのももっともなこと。
　おまえの栄光は消え失せ、おまえの価値は死に絶えた。

おまえの神聖な卓越さは投げ捨てられた。
私はこの短い生の中にひとつの救済だけを見る、
人間は、かくも深い海を渡らなければならず、
帆を張って、そして港で死ぬ。

このような死ののち、世界は価値を減じた、いやむしろ、価値をまったく失った、とサンナザーロは主張している（そして神は、何度も同じことが以前に起こったのかを知っていることか）。「病める世界よ、おまえは死んで腐りはてている」、とダンは語る。ここで彼は、その綺想について変異と拡張をほどこそうとしている。もしダンが常に「記念日の歌」の様式で書いていたならば、彼のパルナッソスにおける位置は、マリーノやゴンゴラから遠く離れたものとなったであろう。しかし、われわれが「熱病」において同じ綺想に出会うとき、われわれが受ける印象はまったく異なる。

でも、おまえが死ぬはずはないが、わかっている。
この世を捨てること、それが死である。
だが、おまえがこの世を捨てて逝くならば、
おまえの息吹とともに、この世も蒸発する。

ここでの強調は演劇的であり、情熱的である。そこには「一周忌の歌」を彩っている「おまえを守るべき香油」、「おまえを保つべき防腐剤」、そして同様な偽科学的な装飾の影は見いだされない。

もし、この世の魂であるおまえが去ったあとまで

　生き残っているこの世は、おまえの亡骸でしかない。
最も美しい女は、おまえの幽霊にほかならず、
　最も優れた男も、ただの腐った蛆虫にすぎない。

私はダンが「一周忌の歌」を書いていたときのことを想い浮かべる。

なぜなら、まだある種のこの世が残っているのである。
なるほど、この世に生命を与え、それを満たしていてくれた
彼女は去っていった……
彼女の記憶とも言える余光が、あとに残されている。
そして、この光が、古いこの世の亡骸から解放されて、
新しい世界を造っていく。

彼は多かれ少なかれ、同じことを意味させていた。しかし、より短い詩の演劇的な活気がきわめて異なる印象を与えている。そして、抑揚の急激な変化は次の詩節〔「熱病」〕において続いている。

おお、百家争鳴、世を焼く火は何かと、
　追求してきた学者たちのだれ一人として、
それはこの女の熱病である、と気づく
　だけの知恵は、もっていなかったのか。

この詩の中には、「この世の解剖」（'Anatomie of the World'）——「一周忌の歌」の題名——の重々しい誇張からはるかに離れていると見える神経質な柔軟さが見いだされる。そしてそれは、もう一人の英国詩人、ロバート・ブラウニングにのみ比肩されるべきものである。たしかに、その様式の演劇的な特質のおかげで、ダンの多くの詩は現代の趣好に合致している。

ダンによる愛の叙情詩の次に、聖なるソネットが彼の作品の最も興味深い部分である。これらのソネットは叙情詩の独創性を有してはいないが、宗教的思想の熱意と強度の点では、ミケランジェロのソネットと競わせることができる。実際、それは霊感においてミケランジェロのソネットに類似している。両方の詩人においては、「宗教的な発作が襲ったり消えたりする、気紛れな熱病にかかったように」［ダン「聖なるソネット」一九］。彼らにとって、信仰はこのような労苦によって達成されるものであった。彼らは不断に、熱意の欠如への恐れによって脅かされていた。恩寵が訪れる機会はきわめてまれなので、ミケランジェロは神に急ぐように求めている。

なぜならば、時がたてば、善き意志も長くは続かないのだから。［ミケランジェロ『詩集』二九六］

両者とも、自らの心の貧しさに打ち勝つことを求めている。彼らは心と神のあいだにひとつの障壁を感じとっており、唯一、神だけがそれを壊すことができる。

私の心を叩き割ってください、三位一体の神よ。

……

ほかに持ち主がありながら、敵の手に奪われた町のように、

私はあなたを迎えようとするが、ああ、それができない。［ダン「聖なるソネット」一四］

火と氷の心の間に、一枚のヴェールが隠れている。
……
私はあなたを舌で愛し、そののちに苦しむ。
愛が心に届かないがゆえに。
……
主よ、あなたがヴェールを破ってください、壁を壊してください、
その頑強さによって、あなたの光である……
太陽を遮る壁を。［ミケランジェロ『詩集』八七］

ダンもまた、ミケランジェロの神への訴えをくりかえすことができたであろう。

希望は消えるが、しかし欲望は増大します。
……
天へと昇る道を縮めてください、
わが愛しい主よ。そして、その半分を
昇るだけでも、あなたの助けが必要なのです。［ミケランジェロ『詩集』二八八］

あなたが立ちあがり、あなたの作を守るために戦わねば、

ああ、私はまもなく絶望して……　［ダン「聖なるソネット」二］

裁きのために、あなたの聖なる眼で、私の
過去を見ないでください。あなたの罰する耳で、
あなたの厳しい腕をそれに伸ばさないでください。
あなたの血だけが私の罪を洗い清め、救いますように。
そして、私が老いるとともに、それだけ救いに近づき、
完全な赦しで満たされますように。［ミケランジェロ『詩集』二九〇］

……ああ、唯一尊いあなたの血と、
私の涙を混ぜて、レテの河の流れを創造してください。

そうして、その中に、私の罪の黒い記憶を沈めてください。

あなたを許すためには罪を忘れない、と主張する者もいる。

しかし、忘れてくだされば、それは恵みだと、私は考える。［ダン「聖なるソネット」九］

これらの詩句は多かれ少なかれ、宗教的叙情詩の常套句であると言うこともできるであろう。しかし、そうとはいえ、ミケランジェロとダンが同じ調べを、またそれだけを奏でているということには注目すべきである。ダンとミケランジェロのあいだに類縁性を確立しようとするのは無益なことを思われるかもしれないが、私は別の興味深い合致について語ることを禁じえない。ミケランジェロは有名なソネットにおいて述べていた。

いかに卓越した芸術家であっても、どのような思想も
もつことはない、もし大理石が自らの中にそれを過剰さによって
包含していなければ。そして、精神に耳を傾ける
手だけが、それを　　達成するのである。［ミケランジェロ『詩集』一五一］

同じイメージはダンの「十字架」（The Crosse）に見いだされる。

おそらく、彫刻家は勝手に造形して、顔を彫るのではなく、
その顔を被い隠していたものを、とりのぞくだけである。

当然ながらダンは、ミケランジェロの死後、一六二三年に刊行された彼のソネットを知ることはできなかった。しかし、彼のリアリズムとプラトン主義の特徴的な混淆、彼の美と宗教への苦悩に満ちた熱情とともに彼の才智の演劇的な特質、彼の罪と死への恐れ、そして神の怒りの恐ろしい結末を描く能力において、ダンはおそらく、ほかのどの芸術家よりもミケランジェロに近かったのである。

（一九四二年［伊藤博明訳］）

# ベルニーニの天啓

ルドルフ・ウィットコウアーは、豊富に図版が収められたモノグラフ『ジャン・ロレンツォ・ベルニーニ』の序文で次のように述べている。[☆1]「バロック時代の偉大な創造者の中で、ルーベンスやカラヴァッジョ、レンブラントやベラスケス、そしてプッサンはそれ相応に美術史研究者によって研究されてきたが、ただひとりベルニーニだけが、かつてはバロックという星座のもっとも光輝く星であったにもかかわらず、彼らに比べて蔑ろにされている」。

ウィットコウアーは内容の濃い序論とみごとに構成された作品総覧によってこの落差を埋めることができたのであろうか。今となっては、かつてピューリタンのジョン・ラスキンがベルニーニの芸術に下した次の判断を笑うことはたやすい。「趣味の悪さ、感情の卑しさという点では、これ以上に堕ちることは不可能である」。また、素材への忠誠――それは執拗にベルニーニによって凌辱された――という古典主義者たちの先入観に異義を唱えることもたやすい。たしかにベルニーニの彫刻は「自然の上に加えられた自然」(natura naturae addita) の地上への到来である。そして、この風景を解釈するには地誌学者だけでは十分でなく、詩人が必要になるということも周知の事実である。『人文主義時代の建築原理』[☆2]をわれわれに教示したさいには、その完璧な導き手であったウィットコウアーは、バロックの開始を論じるにあたっても、おそらくダンテを導くウェルギリウスに匹敵するであろうが、いずれこのウェルギリウスは、その導き手としての座をベアトリーチェに譲るのである。しかし彼女が出現するまでは、ベルニーニ

図1――ジャンロレンツォ・ベルニーニ《聖ラウレンティウス》一六一七年
フィレンツェ　ウフィツィ美術館

の彫刻作品がどのような精神によって創造されたかを解釈しようとするウィットコウアーの試みは、この芸術家についての研究文献の中で名誉ある位置を占めるにふさわしいものでありつづけるであろう。

かつてベルニーニの技巧の極致と判断された、大理石の中にこの素材の性質からできるだけ反するものを表現しようとする彼の欲求――たとえば、若き《聖ラウレンティウス》（フィレンツェ、ウフィツィ美術館［図1］）の彫像に見られる炎のゆらめき、《アポロンとダフネ》（ボルゲーゼ美術館［図2］）に見られる小枝の揺らぎ、あるいは《コンスタンティヌス大帝》（ヴァティカン、サン・ピエトロ大聖堂［図3］）の背景に広がる布の襞にはためく風の音、あるいはナヴォーナ広場の《四大河の噴水》に見られる水辺に伸びる木々のざわめき（図4）こそは、ベルニーニをより自然に接近させた特質であり、一七世紀的な〈驚異的妙技（メラヴィリア）〉の実践というわけではない。

それゆえ、彼について息子のドメニコが語った言葉により深い意味を込めつつ、次のようにくりかえすことができるであろう。「……彼の欠点だと非難さ

図2——ジャンロレンツォ・ベルニーニ
《アポロンとダフネ》一六二二年〜二四年
ローマ　ボルゲーゼ美術館

図3——ジャンロレンツォ・ベルニーニ《コンスタンティヌス大帝》一六六三年〜七〇年 ヴァティカン サン・ピエトロ大聖堂

図4——ジャンロレンツォ・ベルニーニ《四大河の噴水》一六四八年〜五一年 ローマ ナヴォーナ広場

れたことこそ、彼の鑿の生みだした最高の誉れであり、その鑿によって彼だけが大理石を蠟のように撓めるという困難を克服し、こうして〈彫刻〉と〈絵画〉をある仕方で結びつけることができたのである」。彫刻と絵画が互いに共感を抱こうとする傾向こそバロックに固有のものなのである。なぜなら、詩は音楽からその効果を得ようとし、建築は彫刻のように、彫刻は絵画のように扱われ、その一方でサンティニャーツィオ聖堂天井画（図5）のように絵画は建築のもつイリュージョンをつくりだそうとするからである。

ところが、ルネサンスの合理主義はこの三つの芸術を厳格に分離した。この三つの芸術をそれぞれ切り離して三つの独立した書物で論じたレオン・バッティスタ・アルベルティの例を、まさに的確にマルティネッリは引用している。☆3 音楽におけるオペラという絢爛たる混淆を生みだしたバロックのこの傾向が、もっとも自然な受肉化をベルニーニに見いだした。ほかの人物なら単なる技巧と理解されるであろうが、彼においては自然がおこなう擬態と同様、技巧とは無縁のものになる。そこでは、動物が木の幹や葉の姿をとり、岩が雲のかたちを、雲が岩のかたちをとり、そして蜃気楼が砂漠の真ん中に出現するのである。

それゆえマルティネッリの次の観察は、その滑稽な内容に、本人が示唆している以上の深い価値を含んでいる。「四大河の噴水は、それを見にいくたびに、動物園から受ける驚異をわれわれに与える」。炯眼の持ち主ならば、バロックの偉大な天才たちの作品を見て必ずや自然の力に驚嘆するであろう。シェイクスピアやルーベンスについて語られてきたことはベルニーニにもあてはまるであろう。ただ自然のみが、力業やトリックを使ったという印象を与えずに、事物に、それぞれに固有の限界を超えたものを表現させることができる。シェイクスピアは言葉で、ルーベンスは色彩で、ベルニーニは大理石で、不可能を、かつてだれしもが可能であるなどと思ったことのない不可能を可能にすることができたのである。

このような現象のスペクタクル的側面に、われわれはきわめてしばしば目をとめてきた。また、ベルニーニと演劇との比較はあまりに数多くなされてきた。たとえば、ベルニーニが設計したサンタンドレア・アル・クィリナーレ聖

図5——アンドレア・ポッツォ
《聖イグナティウスの栄光》一六八五年
ローマ　サンティニャーツィオ聖堂

図6――サンタンドレア・アル・クィナーレ聖堂内陣　ローマ

堂内部では、祭壇の上方に位置する殉教者の聖アンデレひとりに天使たちと漁夫たちの合唱団がつきしたがっている（図6）。もしこのような演劇との比較が許されるとしたら、それは作品のスペクタクルが、自然のスペクタクルと同じ意味に理解される場合であろう。

ウィットコウアーは次のように述べている。

通例ベルニーニの芸術、そして一般にバロック芸術は、バロック演劇と同じ機能をもつものとして解釈されている。たしかにベルニーニは、はじめは演劇の各場面で用いられていた効果を、宗教的な環境における恒久的な性格をもった自らの作品に採りいれた。サンタ・マリア・デッラ・ヴィットーリア聖堂のコルナーロ礼拝堂の光源の隠された光（図7）、あるいはベルニーニの設計した数々の聖堂内部に巧みに配された光が、まさにその例としてあげられる。ところが演劇について論じられるさいに一般に理解されていることは、演劇の領域で得られた経験がほかの領域に有効に適用された――その経緯は中世やルネサンスの研究者にはよく知られている――ことではなく、演劇から芸術的要素を借用することによって宗教美術そのものが〈演劇的〉になりえたということ、すな

ジャンロレンツォ・ベルニーニ
図７——《聖テレサの法悦》一六四七年〜五二年
ローマ　サンタ・マリア・デッラ・ヴィットーリア聖堂　コルナーロ礼拝堂

わちバロックにおいて演劇にたいする熱狂が宗教美術さえをも汚染したということである。しかしながら、この結論はまったく誤っている。それは、バロック美術の誇張された身振り、そして心を揺り動かす表情を、舞台上の大げさでわざとらしい演技と混同することから導きだされたのである。このような曲解は、ローマ固有のバロックにたいして、そのもっとも特徴的な側面である深遠で真摯な情感という特性を否定することになったのである。

このような的を射た解釈をある外国人研究者に見いだすのは喜びであるが、一方イタリア人研究者（ベルニーニの演劇性を強調するマルティネッリ）が、逆に多くの外国人研究者にありがちな紋切り型の視点から一七世紀の宗教性を判断しているのを聞くことは実に驚くべきことではないであろうか。「ベルニーニは聖なる文脈に自らの内から湧きでる自然の官能性を注ぎこんだ。そしてその結果、一七世紀の人間、とりわけ〈去勢され偽善的な〉イエズス会の教育を受けたにもかかわらず、内面には神秘的な熱狂よりも世俗の情熱をたぎらせていた平均的なイタリア人のもつ二重性という、典型的な両義性が生みだされるのである」。

『雅歌』（*Canticum canticorum*）が聖なるテクストの中でしばしば引用された時代（十字架の聖ヨハネの例を見よ）、そして、トレント宗教会議で布告された全質変化の教義が、パンとワインは霊的な糧となり、ミサのあいだの霊的な経験は肉のレヴェルで糧と変化することを明言した時代においては、官能的な言語活動が宗教的な熱狂を排除することはなかったのである。ヴァルター・フリートレンダーが名づけた「超越的なるものの世俗化」は、あるときは最高の賢慮（人間という限界ある被造物は、それでも自らの感覚を超えた経験を把握するためにもちうる手段をすべて援用せねばならない）として、またあるときは最高の瀆神（なぜなら、読みを逆転させ、たとえば聖テレサが『自伝』［*Vida*］の中で語っている自分自身の法悦を語る文章を精神分析学者のためのテクストとして解釈することはあまりに容易だからである）として現われうるであろう。

しかしいずれにせよ、バロック芸術を理解するためには、この世俗化を歴史上の事実と認める必要があり、そうすることによって、言葉遊びと一七世紀の機智と熱意と誠実さとをあわせもった表現形式として受けいれる必要がある。このことを理解していなかったがゆえにクローチェがバロック時代に加えた解釈はすべて、的外れで、愚鈍で、尊大なもの以外のなにものでもなかったのである。

たしかに今日の抽象主義と機能主義の時代の人びとが、ベルニーニの宗教芸術を理解するのにもっともふさわしいとは思われない。しかしベルニーニの芸術は、非常に興味深いことであるが、抽象主義の建築家や彫刻家が提示するのと同じように自らの作品と自然との境界を無化するという問題を提示したのである。ただし、四大河の噴水の創造者がみごとにそれを成し遂げたように、抽象主義の彫刻家たちが成功できるかどうかは大いに疑問である（たしかに抽象彫刻のいくつかは、少し努力すれば海岸で集めることができる鉱物の塊に似せることができるが、しかし多くの場合、野外に置かれる抽象彫刻はほかの土地から移植された植物のような姿をしているにすぎない）。

ベルニーニはその創造を誘う天啓によって自然に順応していた。しかしそのことは、最初に彼がマニエリスムのアカデミーから影響を受けたことを、そしてのちに古典古代に典拠を求めたことを妨げはしなかった。たとえば、私はかつて《四大河の噴水》について考察し明らかにしたように、ラプラタ河の擬人像（図8）は、アメリカ大陸を発見したアメリゴ・ヴェスプッチを描いたジョヴァンニ・ストラダーノの一枚の素描（一五八〇～八五年頃［図9］）中のアメリカ先住民の姿から採られている。この裸体で鼻の低い先住民の人物像もこのラプラタ河の擬人像――弟子のフランチェスコ・バラッカが彫刻した――も、右のふくらはぎに飾り輪をつけ、そのポーズは似てなくもない。

ローマのフランス・アカデミーでおこなわれた講演の中で、ベルニーニは自らをギリシア人の真の後継者にして模倣者として自認している。たしかに《アポロンとダフネ》（図2）のアポロンは、《ベルヴェデーレのアポロン》（図10）に由来し、《預言者ダニエル》（サンタ・マリア・デル・ポーポロ聖堂［図11］）には《ラオコオン》像（図12）が見られ、《アイネイアスとアンキセス》（ボルゲーゼ美術館［図13］）のアイネイアスにはミケランジェロの彫ったサンタ・マリア・

図8――ジャンロレンツォ・ベルニーニ
《ラプラタ河の擬人像》《四大河の噴水》一六四八年～五一年
ローマ　ナヴォーナ広場

図9――ジョヴァンニ・ストラダーノ
《アメリゴ・ヴェスプッチが発見したアメリカ》
一五八〇年～八五年頃

図10———《ベルヴェデーレのアポロン》 ヴァティカン美術館

図11――ジャンロレンツォ・ベルニーニ《預言者ダニエル》一六五〇年
ローマ
サンタ・マリア・デル・ポーポロ聖堂

図12――《ラオコオン》ヴァティカン美術館

図13――ジャンロレンツォ・ベルニーニ
《アイネイアスとアンキセス》
一六一八年〜一九年
ローマ　ボルゲーゼ美術館

図14――ミケランジェロ・ブオナローティ
《キリスト》一五二一年
ローマ
サンタ・マリア・ソプラ・ミネルヴァ聖堂

ソプラ・ミネルヴァ聖堂のキリスト像〔図14〕が、そして《ウルバヌス八世の墓碑》〔サン・ピエトロ大聖堂〔図15〕〕の形式にはミケランジェロのメディチ家礼拝堂の墓碑〔図16〕が受け継がれ、《ダビデ》〔ボルゲーゼ美術館〔図17〕〕はガッレリーア・ファルネーゼにあるアンニーバレ・カラッチの描いたポリュペモス〔図18〕を想い起こさせる。

しかしベルニーニの作品を見ると、これらの典拠がもはや想い浮かぶことはない。ちょうど、コールリッジがクラショーの『聖テレサ』(*Santa Teresa*)に想を得ていると主張されているにもかかわらず、彼の『クリスタバル』(*Cristabel*)を読んでもこの一七世紀の詩が想い浮かばぬように。そしてまた、シェイクスピアとルーベンスというバロックの別の二人の巨匠のように、ベルニーニは源泉をすみずみまで咀嚼しその痕跡を認識不可能なものにしてしまった。こうして自然はそれ固有の作用を加えることによって、あるものを豊穣で奇妙なものへと変容させる。「両の目は今は真珠」とエアリエルが歌ったように〔シェイクスピア『テンペスト』第一幕第二場〕。

大理石を撓(たわ)め、彩色をほどこしたかのような輝きを与え、蠟のように柔らかい感触を与えて、絵画と彫刻の境界を超えながら、これらの典拠をわがものとするときにベルニーニの見せる飽くことを知らぬ創造的なエネルギーは、天を大地に引き下ろし、大地を天に押し上げるという、もっとも困難な仕事へと彼を駆りたてた。この点についても、もしお望みならば、演劇との類比を考えることができるであろう。ベルニーニの多くの作品に見られるカーテンとドレイパリー〔衣襞〕の使用は、二つの世界を仕切り、そして結びつける舞台の緞帳を連想させるのではないであろうか。そしてすべてのドレイパリーは、〈真理〉を包み隠すあのヴェールのごときものではないであろうか。

ヴェールがとりのぞかれると、〈真理〉はそのルーベンスの描くような裸体を顕わにし、太陽の光のもとで輝き微笑むのである。ウィットコウアーは、まさに《アレクサンデル七世の墓碑》〔図19〕について次のように述べている。

ドレイパリーは、芸術作品を凡庸な俗界から隔離すると同時に、作品をそれをとりまく環境と結びつけるのに役立つ領域をつくりだす。《福者ルドヴィカ・アルベルトーニの法悦》〔サン・フランチェスコ・ア・リーパ聖堂〔図20〕〕

VRBA..VS VIII
B...ERINVS
..NT MAX

図15――ジャンロレンツォ・ベルニーニ《ウルバヌス八世の墓碑》一六二七年〜四七年　ヴァティカン　サン・ピエトロ大聖堂

図16――ミケランジェロ・ブオナローティ《ジュリアーノ・デ・メディチの墓碑》一五二〇年〜三三年　フィレンツェ　サン・ロレンツォ聖堂　新聖具室

図17——ジャンロレンツォ・ベルニーニ
《ダビデ》
一六二三年～二四年
ローマ　ボルゲーゼ美術館

図18——アンニーバレ・カラッチ
〈ポリュペモス〉
一五九七年～一六〇一年
ローマ
ガッレリーア・ファルネーゼ

図19――ジャンロレンツォ・ベルニーニ
《アレクサンデル七世の墓碑》一六七一年〜七八年
ローマ　サン・ピエトロ大聖堂

図20――ジャンロレンツォ・ベルニーニ
《福者ルドヴィカ・アルベルトーニの法悦》一六七四年
ローマ　サン・フランチェスコ・ア・リーパ聖堂

図21――エル・グレコ《オルガス伯の埋葬》一五八六年〜八八年 トレド サント・トメ聖堂

では、色大理石のドレイパリーは、隔てることと結びつけることの二重の目的をもっている。このドレイパリーをただ単に絵画的な工夫と考えるバロックの印象主義的な解釈はなんと誤っていることであろう。

ベルニーニにとってのドレイパリーとは、エル・グレコの《オルガス伯の埋葬》（図21）で画面を上下に分ける雲の幕と同じ役割をもっている。ただグレコの絵画では、祝福された人びとの世界は遠く存在感を失って見え、その下には忠実に描かれた紳士たちが地上に立っている。一方ベルニーニは、マニエリスムのあらゆる苦悩、肉と霊のあらゆる対立とは無縁に、光の矢で包まれた柔和な雲の上の天上の被造物を大地に引き下ろし、橋を渡ってサン・ピエトロ大聖堂に向かう巡礼者たちの周りに天使たちをめぐらせ、寓意像を信者たちと同じ位置に配し、窓から現われでるごとく墓碑に浮かびあがる人物像に祈りへと向かう無言の希求を帯びさせ、『霊操』（*Esercizi spirituali*）にしたがって感覚を超えたものとの隔たりをうちこわし、すべてを五感の及ぶ領域内へと置き換えたのである。

神秘主義者たちが信奉する浄化の道にしたがって、すべてのエネルギーを精神の昂揚する緊張の中に集中させるために感覚を麻痺させるのではなく、ベルニーニは、イエズス会修道士の望んだように、神の意に従順な心理的状態を創出するために、すべての感覚を鋭敏の極みにまで高めることを望んだのである。このようにして、気むずかしく陰欝な精神のための宗教ではなく、はるかに人間的な宗教を創出し、超越的なものの世俗化を実現することによって大理石に不可視の形象をまとわせ、「そして不可視の形象を死すべき感覚に委ねた」芸術を創出したのである。もし一七世紀風にベルニーニの芸術を表現するエンブレムを考案しなければならないとしたら、われわれはその主題として「カナの婚礼の奇蹟」を選ぶであろう。

（一九五五年［上村清雄＋新保淳乃＋伊藤博明訳］）

# ペーテル・パウル・ルーベンス

三〇年以上もまえに、一七世紀のイギリス詩について書いて以来、ルーベンスに関心を払う機会は私には訪れなかった――たしかに彼の描く風景は私の注意を惹き、たえず私を魅了しているのではあるが。そして多くの人びとにとってそうであるように私にとっても彼は、帽子をとって挨拶はするがそのまま通り過ぎてしまう画家の一人であった。その意味のすべてとは言わないが、その多くがわれわれにとって失われている歴史的・神話的光景の称揚を演出したルーベンスは、登場人物の性格づけがどちらかと言えば類型的な作家とみなされている。たしかに彩色の卓越した妙技は理解しうるが、いかなる透徹した判断でさえも意味の失われた表現内容に妨げられ、それゆえ、彼の彩管の魔術をもってしても自らを魅力あふれる画家とするには十分ではなかった。ルーベンスの描く女性たちと言えば、たしかにボードレールの次の詩句が脳裏から離れることはなかった。「爽やかな肉の枕だ、愛情の枕ではないが」[鈴木信太郎訳]。

かなり以前から今日にいたるまで、痩せ型一辺倒のディオールのボディラインが登場する以前ですら、いったい太り肉(じし)の女性に、賞讃とまでは言わないが真剣に関心が寄せられたことがあったであろうか。注意していただきたいのは、今日、女性が太っていると言うとき、サーカス小屋や肥満体のコンクールに登場するようなボリューム感を引き合いに出す必要はまったくなく、姿かたちがいささか丸いというだけで非難の的になってしまうということである。

体重計の上でのちょっとした波乱（ドラマ）、それだけで方策を講じ、ある種の食べものをさしひかえ、食事中の飲みものを自制させるのに十分なのである。それゆえ、現代社会の女性の摂生は、荒野で蛙によって身を養った隠遁僧のそれに似ている。「ルーベンス的形姿をもつ女性」ということは、女性の資格を剥奪しかねない侮辱の響きをもつ言い方なのである。

ところで、まさにひとりの豊満な形姿をもつ女性のおかげで、ルーベンスへの私の関心は呼び覚まされた。それは、肉と骨を具えた女性ではなく、（もちろん小説の中では肉と骨とは不可欠であると思われるが）想像上の女性、ジョイス・ケアリーの小説『自分でも意外』の主人公である。☆1 これは、ひとりの料理女が自らの人生を物語る小説であり、部分的には文学上のモデルとして当然、ダニエル・デフォーの『モル・フランダーズ』（*Moll Flanders*）を想い起こさせる。ひとりの女性、けっして美人とは言えない彼女が、男性たちをその豊満な姿態と光輝く肌の色で魅了する。たしかに彼女は自分の身体を恥じ、家族のものからまさしく、「メイドゥウ・ミート」、すなわち「乙女の肉塊」と言われてきたが、ある日ひとりの画家から自分の腕をデッサンさせて欲しいという申し出を受けて驚愕する。

「私は自分の太った腕が恥ずかしかった。けれどもある晩、彼のために催された宴のおり、寒さで真っ赤になった私の腕を彼はとらえて皆の前に高々とさしあげ、素晴らしいだろう、皆も見たまえと彼らを誘った。私は侮辱されているのかそうでないのかわからなかった。ところが私の夫は真面目な面持ちで言った。『もちろんだとも。僕にはいつだって素晴らしいのだ』。そして笑いながら口々に勝手なことを言っている面々に向かってこう言った。『まさに料理女の腕だ。ビフテキの肉をたたき、スフレを泡立たせて、たくましくなった腕だ』。私だって彼らを笑うことができるのだ」。

私がジョイス・ケアリーの小説を汽車の中で読んだのは、イギリスを旅行しているおりで、それゆえ数え切れぬほど足を運んだナショナル・ギャラリーをふたたび訪れることになった。そして私は並べて展示されているルーベンスの三点の絵画の前に足をとめた。すなわち、《ステーンの城館のある風景》（図1）、《麦藁の帽子》（図2）として名高いシュザンヌ・フールマンの肖像、そして《サビニの女の略奪》（図3）である。この魅惑的な風景を観たあとで、コンスタブルの風景画を観てもいったいなにを発見できるというのであろうか。点景となる人物のひとりの赤い上着、それだけでその周囲に広がる緑をひときわ際立たせている。羽飾りのついた帽子が落とす陰翳に、光輝く肌の色をもつ生気あふれる若き乙女の肖像に、すでにルノワールの本質が認められないであろうか。さらに《十字軍のコンスタンティノープルへの入城》（図4）を描いたドラクロワは、このフランドル人の《サビニの女の略奪》に明らかに細部にいたるまで依拠して描いている。もっとも顕著な例として、両者の絵画の右方には、ともに頭を垂れる女性と首を横に向けた馬が表わされている。

そしてプラド美術館の《愛の園》（図5）のようなルーベンスのほかの絵画にはすでにヴァトーの世界が先取りされ、またウィーンの《眠れるアンジェリカ》（図6）にはすでに一八世紀フランスのもっとも官能的な優美さが具わり、さらにミュンヘンのアルテ・ピナコテーク所蔵の《最後の審判（小）》（図7）の中でからみあって落下する豊満な人体には、のちにトマス・ローランドソンがカリカチュアとして描く作品――ロンドンのユニヴァーシティ・カレッジに所蔵されている《展覧会の階段》（図8）を参照されたい――を生みだす萌芽がすでに見いだされる。

これらのことを考えると、私はルーベンスこそ絵画の全歴史に輝くひとりの天才であったのではないかと自問せざるをえない。この天才は、多くの下位ジャンルを創出し、彼の作品を前にした私の念頭に浮かんだこれらの画家たちをはじめとする多彩な芸術家に霊感を吹きこむような示唆を与えたのである。文学史においても、その影響をルーベンスの影響に比較しうるひとりの天才を私は見いだすことができる。それは、ほかならぬシェイクスピアである。周知のように、両者ともイタリアの影響を受け、その時代の地中海芸術が発した光輝を北方に広めたのである。シェイクスピアとルーベンスには数多くの共通点があるという私の想いは、レオ・ファン・ピュイフェルデの『ルーベンス』を読んで強いものとなった。☆2

ピュイフェルデの論考は、ルーベンスというテーマに即したスタイルで書かれているだけではない。ピュイフェル

図1――ペーテル・パウル・ルーベンス《ステーンの城館のある風景》一六三五年頃 ロンドン ナショナル・ギャラリー

図2――ペーテル・パウル・ルーベンス《麦藁の帽子》一六二五年頃 ロンドン ナショナル・ギャラリー

図3――ペーテル・パウル・ルーベンス
《サビニの女の略奪》一六三五年～三七年
ロンドン　ナショナル・ギャラリー

図4——ウジェーヌ・ドラクロワ《十字軍のコンスタンティノープルへの入城》一八四〇年 パリ ルーヴル美術館

図5——ペーテル・パウル・ルーベンス
《愛の園》一六三三年頃
マドリード　プラド美術館

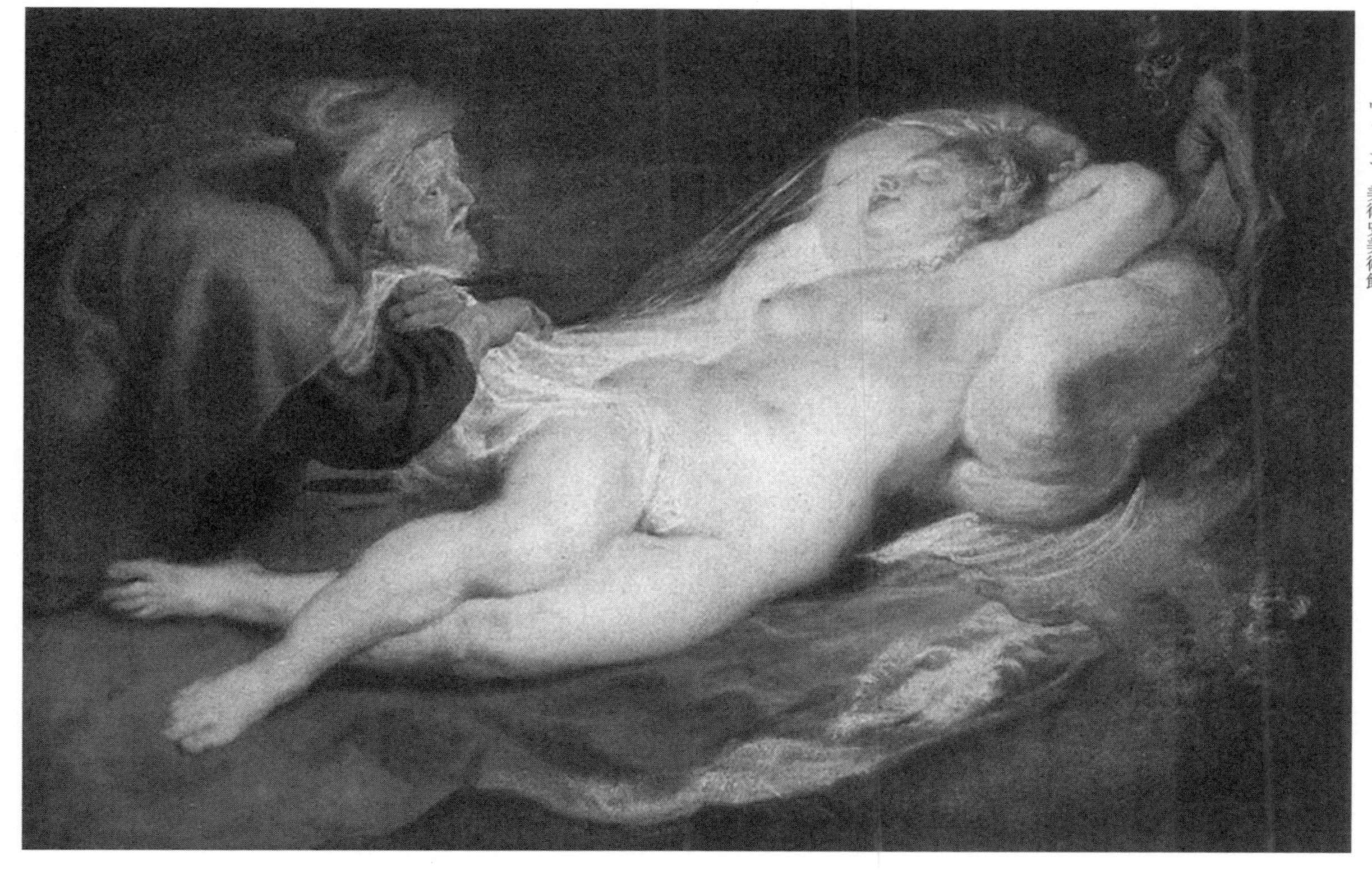

図6——ペーテル・パウル・ルーベンス
《眠れるアンジェリカ》一六二六年〜二八年
ウィーン 美術史美術館

図7――ペーテル・パウル・ルーベンス《最後の審判（小）》一六一七年～一八年 ミュンヘン アルテ・ピナコテーク

図8――トマス・ローランドソン《展覧会の階段》一八一一年（?） ロンドン ユニヴァーシティ・カレッジ

デはまことに真摯で慎重な研究者であり、ルーベンスの作品と考えられていたほとんどすべての素描の信憑性を否定し、大半を弟子の模写とみなした。また、王侯のような生活を送ったとか、邸宅がまさに豪奢そのものであったとかいう多くのルーベンスにまつわる伝説の誤謬を立証しようとしてもいる。さらにこの芸術家の形成をめぐってイタリアが果たした役割に多くを認めようとせず（「ルーベンスはイタリア人だ」と述べたのはベレンソンであるが、ピュイフェルデによれば、美術史教育はイタリア美術が優越性を有しているという先入観に害されている）、アントウェルペンに戻り、この地方の伝統に従って描きはじめてからルーベンスは彼固有のスタイルを発見した、と考えている。しかし、ピュイフェルデは批評家としてフロマンタンの域には達していない。ルーベンスについて本質的なことはすべて、フロマンタンの一八七五年に刊行された『昔の巨匠たち』（*Maitres d'autrefois*）の中で述べられていた。

ブリュッセルにある《聖リウィヌスの殉教》（図9）について、フロマンタンは次のように記している。「ひとりの聖なる司祭が舌を引きぬかれ、血を吐きだし、身を激しく痙攣させている。こうした非道で野蛮な虐殺がこの絵に表現されていることは忘れよう。処刑を下す三人の刑吏たち、そのうちのひとりは血に染まったナイフを口にくわえ、もうひとりは見るものに恐怖を与える肉片を重い鋏（やっとこ）で犬に与えようとしているのも忘れよう。目を向けるべきは、光輝く天に向かって立ちあがる白き馬、黒と白のまだらの犬、四人ないし五人の黒人、赤い二つのベレー帽、赤褐色の髭の形相、この広いカンヴァスのなか一面を彩るグレー、碧、明暗をたたえたシルヴァーの快い調和である。観る人が抱くのは輝く調和の感覚にほかならない。ルーベンスは、この驚嘆を呼び起こす調和を、恐怖の光景を表現するために、あるいは観る人に受けいれさせるために用いたことはこれまで一度もなかった」。

シェイクスピアの円熟期の戯曲、たとえば『リア王』を想い起こし、それがいかなる複合効果を観る（読む）人に与えるであろうかと自問するならば、その回答は、フロマンタンが《聖リウィヌスの殉教》を論じた表現とあまりちがわないことに気がつくはずである。

しかし、もしほかのエリザベス朝のいくつかの戯曲、たとえばおそらくシェイクスピア自身の初期作品とされる『タ

ペーテル・パウル・ルーベンス
図9——《聖リウィヌスの殉教》一六三五年頃
ブリュッセル　王立美術館

イタス・アンドロニカス』に目を転ずれば、ルーベンスの作品に見られるカタルシスと同じものが認められるばかりか、目に入るのは残酷でグロテスクな恐怖ばかりということが理解されるであろう。ルーベンスの絵画に見られるこのカタルシスを確認するには、彼の後世の追随者で、《聖リヴィヌスの殉教》やゴヤの《わが子を喰らうサトゥルヌス》(図10)に範を得た一九世紀の画家アントワーヌ・ヴィールツの作品(図11)に、いかにこのカタルシスが欠如しているかを見ればよい。

さらにフロマンタンがルーベンスについて続けて語っていることは、この偉大なイングランド人戯曲家にもあてはまる。「さまざまな相反物が均衡を保つことにより、ひとりの天才を形成するということをまずもって認めておく必要がある。流れでるおびただしい血と力強い肉体、しかし高遙なる精神、優しくまさに晴朗な魂をもって醜悪なる行為や獣性の恐怖に動じぬ人間、天才の描く情熱あふれるこうしたさまざまな形象の中には、作者の趣好は一切認められず、そこでは血塗られた醜悪なる行為が形象に、獣性が恐怖に変容するのである」。

今日、ヴォルテールの時代のように、シェイクスピアが悪しき趣好をもち、ルーベンスの誇張表現とシェイクスピアの雄弁とが異なるものであると認めるほど盲目な人は誰もいないであろう。たしかに二人の偉大な芸術家のダイナミズムは類似しており、前者の場合でも後者の場合でも、バロックの至上の表現を形成している。たしかに今日、たとえば『尺には尺を』や『ハムレット』のようなシェイクスピアの戯曲のいくつかに、むしろ典型的なマニエリスムの技法を見ようとする傾向がある。

『ルネサンス様式の四段階』(*Four Stages of Renaissance Style*)によってこの解釈を広めたアメリカ人学者ワイリー・サイファーはしかし、シェイクスピアのほかの作品、たとえぽ『オセロー』には、バロックの華美でドラマティックな概念が反映されていると述べている。なぜなら広義のルネサンスのさまざまな段階は、明確に仕切られた区分をなして進行したわけではなく、同じ芸術家の中においてすら同時に存在していたからである。たとえばミルトンは、一方でバロック期に花開き絶頂に達した偉大な人文主義の代表者としてルーベンスにきわめて近い詩をつくりながら、他方

図10――フランシスコ・ゴヤ
《わが子を喰らうサトゥルヌス》一八一九年～二三年
マドリード　プラド美術館

図11――アントワーヌ・ヴィールツ
《飢餓、狂気、犯罪》一八五三年
ブリュッセル　国立アントワーヌ・ヴィールツ美術館

でプッサンにかくもみごとに具現化されるアカデミーの推す新古典主義の潮流をも代表している。

しかしながら、しばしば疑問視される文化上のカテゴリーや、技法の発展――容易にしかも完璧に作品を仕上げる天賦の才ゆえに彼らが多くの作品を比較的短期間に生みだしたとは信じがたく、シェイクスピアの後期の作品において最高度に発揮される十一音節詩句の流麗さはルーベンスの後期の絵画作品の題材の流麗さと照応する――を考慮の外におくならば、この二人の芸術家がわれわれに与える強い印象は、ある根本的な晴朗さである。その晴朗さは、混乱をきわめ、暴力に満ちた世界の中に認められ、愚劣なものや常軌を逸しかねないものを変容させる力をもち、生のすべての局面に光をあてる人間的共感をさしだすのである。そこから彼らの創造の普遍性が、人間がおのずともつ限界を超越した人間的類型の広がりが生みだされる。

ルーベンスの《乱痴気騒ぎ》（図12）は、ピュイフェルデが述べているように、とくにフランドル的というのでもなく、あらゆる風土のすべての人びとに共通する生の喜悦への讃歌と唱和し、さらにシェイクスピアの戯曲の雰囲気は、ダンシノアの光景であろうとエルシアの光景であろうと、ローマの光景であろうと、ほかのエリザベス朝の演劇にお馴染みの地方色とは常に無縁である。そしてルーベンスの描いた一般的人物を、シェイクスピアの後期の戯曲『冬物語』、『シンベリン』、『テンペスト』の登場人物と比較することも可能であろう。ピュイフェルデはこのように述べている。「ルーベンスの情熱的な手は宇宙を支え、たえまなく宇宙を変容させる生命の流れそのものに導かれていると信じてもよい」。そしてゲーテは、シェイクスピアの戯曲を「そこでは魂を揺り動かす生命の嵐が吹き、次々と激しくページを繰らせる運命の開かれた書物」と呼んでいる。フロマンタンは、ルーベンスに、樹に実を結ばせる創造の至福なエネルギーを見ている。

まさに樹のごとく、これらの偉大な芸術家は自らの根を大地に突き刺す。官能の世界は、彼らがより高く飛翔するために不可欠な前提である。詩人シェリーについてマシュー・アーノルドが下した、おそらくはあまりに厳しすぎる定義は、彼らのどちらにもあてはまらないであろう。アーノルドはシェリーを「無力な美しき天使、光り輝くその翼

図12——ペーテル・パウル・ルーベンス《乱痴気騒ぎ》一六三六年〜四〇年頃
マドリード　プラド美術館

50.

図13——ペーテル・パウル・ルーベンス《三美神》一六三八年〜四〇年 マドリード プラド美術館

図14——ペーテル・パウル・ルーベンス《レウキッポスの娘たちの略奪》一六一七年頃 ミュンヘン アルテ・ピナコテーク

を虚空にむなしくはばたかせるばかり」と定義した。シェイクスピアとルーベンスはその足をしっかりと大地に張る。その根を樹のように大地に張る。ともにその生命は肉体の重みすべてをかけてうち震え、詩句にまた画筆のタッチに、しばしば残酷と野蛮を表わす。

ルーベンスの描く女性たちを、すなわちマルスやペルセウスの甲冑と対照をなすウェヌスやアンドロメダの花開いた肉体を、量感のある腰の《三美神》（図13）を、丸い見事な腕の女神たちを、華やかに光り輝くレウキッポスの娘たち（図14）を、山の頂きにかかる薔薇色の雲のごとく眠るニンフを、また入浴の雫に濡れるディアナを、バテシバを、スザンナ（図15）を見ていただきたい。ボードレールの詩を忠実に唱え、これらの女性を「太り肉（じし）」と呼ぶであろうか、それとも「完璧な女性」と呼ぶであろうか。

多少とも蓋然性のある推論を重ねることによって、ひとつの民族の基本的で典型的な性格を示すこともできよう。しかし同じ民族という条件の下でも年代を経るにつれ、習慣や趣好の変化が認められる。同じ地方のさまざまな時代の絵画が並列されていることで共時的なものとなった通時的な展覧会は、芸術学上の考察だけではなく、民族学的で心理学的な好奇心をかきたてるきっかけを与えてくれた。

一九七三年一二月にローマのパラッツォ・ルスポリで開かれたフランドルとオランダの画家たちの展覧会で、もっとも印象に残った絵画の中にルーベンスの作品のいくつかがあったが、その中でもとりわけ今まで公開されたことのない、現世の財産を放棄しようとしている《マグダラのマリア》（図16）を考察することにしよう。その色彩はまばゆく輝き、エレーヌ・フールマンの肖像か、あるいは彼女と同じように金髪で華やかな姉シュザンヌの肖像を想い起こさせる。この《マグダラのマリア》は、膝のあいだにたくさんの真珠の首飾りや宝飾品、宝石を投げだしているが、しかし髪に編みこまれた一連の真珠は残され、またいささか崩れた衣裳からは片方の乳房があらわになっている。それゆえ彼女は、改心した罪深き女というよりも、むしろ寝床につくまえに宝石を仕舞う美しい金髪女となる。彼女はわれわれを魅了する。しかし、彼女はキリストに魅了された（あるいは改心させられた）ことはない。実際この画家が

図15——ペーテル・パウル・ルーベンス
《スザンナと長老たち》一六〇七年
ローマ　ボルゲーゼ美術館

図16——ペーテル・パウル・ルーベンス
《マグダラのマリア》一六二〇年代（？）
ミラノ　ラッティ・コレクション

図17——ロヒール・ファン・デル・ウェイデン
《マグダラのマリア》一四五二年頃
パリ　ルーヴル美術館

図18——ロヒール・ファン・デル・ウェイデン
《マグダラのマリア》一四四五年頃
ロンドン　ナショナル・ギャラリー

図19――アドリアン・イーゼンブラント
《マグダラのマリア》一五一五年〜二〇年
ロンドン　ナショナル・ギャラリー

図20――クェンティン・マサイス
《マグダラのマリア》一五一五年
アントウェルペン　王立美術館

この絵の中の本の上に最初に描きこんだ十字架像は、本人によって適切にも消されてしまった。

残念ながら、この展覧会にはフランドルのプリミティフ派の作品は出品されていないが、もしこの会場にプリミティフ派の《マグダラのマリア》のいくつかの作品が展示されていたならば、おそらくイタリアの観賞者に浮かぶのは次のダンテの一節であろう。「古き市壁の中のフィオレンツァは……質素に慎ましく平和であった。首飾りも……人より目立つ飾られた帯も見られなかった」（「天国篇」第一五歌）。ロヒール・ファン・デル・ウェイデンの《マグダラのマリア》（ルーヴル美術館蔵［図17］）では、その顔は無感動で厳しく、頭に純白のトーク［円い縁なし帽］をかぶり、そのヴェールはあたかも修道女を想わせ、身体は衣服で完全に包まれ、痩せた右手は彼女の図像（イコノロジーア）の一部である聖体器の上に置かれている。この絵画全体からは、彼女の放恣な過去をうかがわせるものはひとつもない。同じ画家によるもう一枚の《マグダラのマリア》（ロンドン、ナショナル・ギャラリー［図18］）は、長く垂れた衣服に身を包み、頭には修道尼のように白い髪形を載せ、白い布で額をおおい、顔全体に白く輝くヴェールをかけている。

アドリアン・イーゼンブラントの《マグダラのマリア》（ナショナル・ギャラリー［図19］）では、片腕と苦行のために裸足となった片足だけがあらわになっている。フィリッポ・リッピに想を得たと思われる天使が彼女に十字架を捧げ、細密画の配された写本に眼を落としている改心した彼女は、手を組みあわせて祈っている。クェンティン・マサイスの《マグダラのマリア》（アントウェルペン、王立美術館蔵［図20］）では、先に述べたロヒール・ファン・デル・ウェイデンのそれに劣らず禁欲的で改悛の情を顔に浮かべている。首に下げた十字架のネックレスが彼女のもつ唯一の装飾品であり、彼女の片手が際立たせているのは持物（アトリビュート）の聖体器である。

ここで次のように問うこともできるであろう、世紀が変わり、一六世紀になるとフランドルの地になにが起こったのか、と。たしかにイタリアにおいても、一五世紀に描かれたマグダラのマリアは、一七世紀と一八世紀に描かれたものときわめて異なっている。すなわち、一七世紀と一八世紀のこの主題の絵画は（カラヴァッジョを例外として）、彼女の裸体を誇示することになるのである。しかしフランドルのプリミティフ派の画家の描いたマグダラのマリアたちが同じころにイタリアで描かれたマグダラのマリアに比べて禁欲的で神秘的であっただけに、その対照はいっそう印象深いものとなる。

たとえば、カルロ・クリヴェッリの《マグダラのマリア》（アムステルダム、王立美術館〔図21〕）では、身体は衣服で完全におおわれ、媚びるような手が聖体器を支えているが、宝飾品を身につけ、好色とは言わないまでも意味ありげな目を投げかけている。私には、この絵に教訓的な効果があるとは思えず、彼女は衣裳を脱ぐことにいかなる抵抗もないと思われるが、はたしてファン・デル・ウェイデンの描くマグダラのマリアに同じようなことが要求できるであろうか。

そしてさらにこの展覧会には、はじめて紹介されるルーベンスの《最後の審判》の大きな習作（ジェノヴァ、個人蔵）が出展されていた。ミュンヘンのアルテ・ピナコテークに収蔵されている、彼の代表作（図22）の、このテーマによる最初のヴァージョンである。全体の構成はミケランジェロの《最後の審判》に依拠しながら、しかし「地獄の責め

カルロ・クリヴェッリ
図21——《マグダラのマリア》一四七五年頃
アムステルダム　王立美術館

ペーテル・パウル・ルーベンス
図22——《最後の審判（大）》一六一六年〜一七年
ミュンヘン　アルテ・ピナコテーク

図23――ディルク・バウツ《地獄》一四六八年 リール リール美術館（ルーヴル美術館寄託）

苦は強調されず、女性の肉体がその造形の精妙さによって際立たされている」とディディエ・ボダールの監修したこの展覧会のカタログには書かれている（彼がローマにいた南ネーデルラントやリエージュの画家たちについて著わした研究についてはは別のところで述べることにしたい）。

女性の肉体については、実際ミケランジェロの《最後の審判》にはさほど表現されておらず、ディルク・バウツの《地獄》（ルーヴル美術館［図23］）にも、地獄に堕ちたものたちの中にひとり描かれているだけである。しかしルーベンスはそれを惜しまない。周知のように、彼は男性より多くの女性を天国に送るのである。いやむしろ、一番手前に描かれたひとりの男性を除いてはすべてが美しい豊満な女性と言ってもよい。この男性の背後には〈死〉が待ち伏せしているが、彼にしてもこの金髪の女性たちのアリアの合唱に従うべきか否か迷っている。もちろん地獄にいくことを定められた大量の肉体の中にも女性はいるが、しかしそこで大勢を占めているのは明らかに男性である。

このような考察は表面的なものと言われるかもしれない。しかしながら、ルーベンスの時代の美術には、その時代の芸術家が重要であると考え、付与した内的意味が存在し、彼らは、ジッロ・ドルフレスの言う[☆3]、カンヴァスに切れ目を入れ、自然な身振りを表現することで鋭い時代感覚を提示しようとする、現代の芸術家がおこなっているような行為だけに満足していなかった。それゆえ、これまで述べてきたフランドル美術という限定された事例からも、中世後期（北ヨーロッパではこの時期が長く存続した）と一七世紀とのあいだでネーデルラントには慣習の変化が起こり、その変化は、あたかも二つの異なった民族が急激に入れ替わったかのように思われるほど顕著なものであったと結論すべきであろう。はじめは神聖政治的・貴族的な文化が支配し、次いでブルジョワジーの登場とともにこの血脈の官能的な性格が花開いたと言うことができるであろう――まさに『薔薇物語』の中で、ギョーム・ド・ロリスの封建制の宮廷を描いた第一部のあとを継いで、ジャン・ド・マンの物質主義的なブルジョワジーの宮廷が続くように。

（一九五五年［伊藤博明訳］）

# ミルトンとプッサン

ミルトンは現代のイギリス詩人の愛顧を受けていない。少なくとも、エズラ・パウンドの批評理論の影響を多かれ少なかれ受けている詩人からは評価されていない。エズラ・パウンドは、『失楽園』の詩人を「修辞的」で「メロドラマ的」とみなしていた。現役世代のイギリス詩人を代表するT・S・エリオットは、「ジョン・ミルトンの詩句の覚書」（"Note on the Verse of John," 1935）において、現在におけるミルトンの不人気の理由をいつもながら明朗に語っている。[☆1] 彼が挙げる理由はここに要約するに値する。なぜなら、西欧文学におけるミルトンの位置を明確にする一助となるからである。エリオットは次のように考察している。ミルトンの独創的な感覚の鋭さは、過読により早くから衰えた。彼の言葉は技巧的であり月並みにすぎるのであり、事実上、彼は英語をあたかも死語のように用いている。ミルトンにおいてすべては音響効果の犠牲にされ、それゆえ詩が「重々しい戯言」（a solemn game）の次元に堕することがおうおうにして起きる。エリオットのこうした批評が、新古典主義美術にいつも浴びせられる批評とよく似ていることに驚きを禁じえない。この類似は偶然ではないであろう。エリオットの批評は、実質的に一八世紀末から一九世紀初頭の新古典主義様式（マニエラ）を貫く、人文主義の最終段階の代表者のひとりとしてミルトンを位置づけるのに役立つのである。

一六世美術の静止した記念碑性、その人物像や建築物の表層に表われた荘厳な均衡、目的を同じくするさまざまな効果の統一性から、マニエリスムの段階を経て、諸要素をダイナミックな対比に統合するバロックへ、奥行きへの投影へといかに移行したかはよく知られている。[☆2] これと同じ推移は文学にも認められる。文学において、マニエリスムは「プレシオジテ」、ジョン・リリー作品に因み「ユーフィズム」と呼ばれる。マニエリスム芸術家の用いる曲線は、輪郭に振動と延性を刻印し、古典的な均整を破壊する。また、交差するかと思えば渦を巻いて降下するあの線の遊びは、バロックの演劇性を予告する。リリーの文体はこれと類比することができるであろう。彼の文体は、修辞学的定型に即して計算された頭韻法、対照句、韻律を駆使した、気どって実体のない遊びにおいて、虚空に揺らぐ映像のような語の縺れのなかでかたちづくられる。さまざまな暗示の短縮法により時間が加速されたその未来は、隠れた鋭敏さ、形而上的な機知（英語の「形而上学的」[☆3]［metaphysical］は、文学において、バロック美術の奥行きに相当する効果を意味する）で光り輝くことであろう。書体の繊細さはこの時期の筆写に共通する特色であり、銀細工師が宝石や小さな装飾品にほどこす装飾の洗練された性質も（それゆえスペイン語では、銀細工(プラテリア)に因み、「プラテレスコ」様式と呼ばれる）、文学におけるエンブレムへの偏愛や遠く離れた知的領域からひきだした奇矯な綺想への偏愛に相当するものである。

しかし、マニエリスムの段階から論理的にバロックに移行したとしても、一部の個人や散発的な集団の中ではより厳格な古典主義への回帰が生じることとなった。ひとたび自然をじかに学ぶことをやめて、高尚で折衷的な美的判断にもとづく図式的な解釈に向かうと、こうした判断要素のひとつである、古代人が創りだした理想的定型の模倣と、より厳格で排他的な姿勢とが優勢にならざるをえなかった。[☆4] この狭義の古典主義は、古代彫刻を修復する流行に多大な影響をおよぼしたという点で考古学的なものでもあるが、北方諸民族に好まれ、またその理由もわかりやすい。地中海的芸術家の血脈に流れていると言ってもよい、協和と秩序という規範をもちあわせていないがために、北方の人びとはどの時代でも鋭敏に意識して古典主義を試みたのである。アリストテレスの『詩学』にもとづく三一致の法則がイタリアの批評家たちの創作物だとすれば、それを忠実に受け容れたのはフランスの悲劇作家たちであった。パッラーディオのもっとも忠実な追随者はイギリス人である。実際、イギリスのパッラーディオ主義(パラディアニズム)は、一六世紀の究極の古典主義と、一八世紀ヨーロッパにおける反バロック的反動としての新古典主義とを橋渡ししたのである。

こうしてみると、T・S・エリオットが主張するように、ミルトンの失明は彼の芸術を純粋な音へと方向づけるのに寄与した可能性がある。ただし、若いころの彼の詩が帯びていた実に複雑な感覚性から、円熟期の霊感にみられる聴覚偏重性への展開は、同時代のフランス絵画、とりわけニコラ・プッサンの一群の絵画作品において強調される、色彩に対する素描の優位と並行関係にある。とはいえ、これはより綿密な考察に値するアナロジーの、諸側面のひとつにすぎない。[☆5] 作家あるいは芸術家どうしを比較する方法は永らく信頼を失っていたものの、筆者の考えでは、芸術家がまったく異なる派に属す場合（たとえば、ダンテとミルトンを並べる古色蒼然とした比較がそれにあたる）に対比的なとらえ方は修辞学的才能の単純な力技にすぎないとしても、その力技を同じ歴史的局面に属した芸術家たちに適用できると示すことによって、逆に少なくない利点をひきだせるはずである。美学批評家は、どの芸術家も唯一無二の個人であると言うであろうし、筆者が本稿で説明しようと考えているような比較は、文化と流行の歴史にいくばくかの利益を与えられるであろうが、美的評価には無益であると述べるであろう。しかし、筆者は、一般的な性質を考慮しない美的評価はただの嫌悪と手を結ぶ危険を冒すことになると確信しており、エリオットの「覚書」はまさにこの危険を体現しているように思えるのである。

ミルトンとプッサンの芸術的自己形成にイタリアの影響があったことは、あらためて知られるようになった。[☆6] ミルトンに影響を及ぼしたイタリア人作家のうち、名誉ある地位に値するのはタッソであり、それは彼の具体的な作例よりも、彼の理論に起因する。タッソは、霊感が降りてきたときに一定の規則を別のものとしてあつかった（彼は厳密な古典主義を推奨する一方で、実際はそれを彼好みの甘美で柔和なパレットに変容させた）のだが、これから見るように、その諸規則をミルトンは几帳面に信奉している。ミルトンにとってのタッソにあたるのが、プッサンにとってのイタリアの折衷主義的な画家、とくにカラッチ一族とドメニキーノであった。

アンニーバレ・カラッチは、初期の、イタリア北部に典型的な様式を、ローマの古典的伝統に触れることによって改変し、市内の多くのコレクションで見ることのできた古代芸術の模範から学びとった、彫塑的な効果を探求する過程で、ローマ画派のさらに先に向かった。[☆7] パラッツォ・ファルネーゼの白と金を多用したガッレリーアの装飾（図1）をもって、彼は新古典主義を創始したと言ってよい。そこで彼はヴォールト天井のラファエッロ的着想（図2-1）と、システィーナ礼拝堂の装飾図式（図2-2）を組みあわせ、その交差の上に、ヴィッラ・ファルネジーナの装飾（図2-3）に触発された絵画（図5）を据えたのである。これら三つの図式の組みあわせにより、アンニーバレは奥行きの印象を与えようと望んだものの、失敗してしまい、隅部に示されたアティック［正面を方形に見せる装飾壁］が実際に存在するとは誰も想像しなくなった。錯視的効果に欠けるのは、この装飾が実験室の実験結果であって、本来それにあわない空間に適用されたためであり、バロックで起きたような、空間の本質そのものからあふれでた成果ではなかったからである。

とはいえ、ここで興味深いのは、アンニーバレ・カラッチが、ファルネジーナのフレスコ壁画を呼び起こしつつ、裸体もしくは着衣の、古典的な身ぶりを見せる人物像に、大理石像またはマジョルカ陶器のような滑らかさと輪郭の明確さを与えたことである。彼は人物像を均整のとれたグループに分けて配置しており、それはまるで楽節の終止部のようである。だが、古代風の身振りにもかかわらず、アンニーバレ・カラッチは一五〇〇年代のイタリア人にとどまっている。彼の古典的な源泉についてはごく漠然としかわからない。彼の構成には音楽用語でいうところの「レガート」があるため、われわれは個別の細部に目をとめたり注意を注いだりしにくい。アンニーバレは古典の字義どおりの翻訳ではなく、自由な一解釈を示しており、それはタッソの詩句に古典詩人の痕跡を見いだせるのと似ている。古代の影響は、イタリア絵画独自の経験という古い幹に接ぎ木されているのである。[☆8]

イタリアの伝統と古典のあいだには、本質的に異なるものはなにもない。二つの伝統は容易に溶けあうことができた。明確な対比がないがために、新しい時代の芸術家は過度に意識せずとも古典古代からなにかをひきだし、自由に手を動かすことができた。これはドメニキーノにもあてはまる。彼はさらに北方に接近して、カラッチの空間概念を

図1——アンニーバレ・カラッチ、アゴスティーノ・カラッチ、工房
《神々の愛》一五九七年～一六〇六／一六〇七年　フレスコ
ローマ　ファルネーゼ宮ガレリア　天井全体

ラファエッロと工房
図2・1――《クピドとプシュケの物語》一五一七年〜一八年　フレスコ
ローマ　ヴィッラ・ファルネジーナ　プシュケのロッジャ　天井全体

図2・2――ミケランジェロ・ブオナローティ《創世記物語、預言者と巫女、キリストの祖先たち》一五〇八年～一五一二年　フレスコ　ヴァティカン　システィーナ礼拝堂　天井全体

図2・3——ラファエッロと工房
《クピドとプシュケの婚宴》一五一七年～一八年　フレスコ
ローマ　ヴィッラ・ファルネジーナ　プシュケのロッジャ

建築的厳格主義に至るまでに強調し、色彩を柔らかく薄めて冷たく統一性のある色調のモノトーンと合体させた。彼の柔和な古典主義は規則への拘泥をほとんど見せないものの、彼の人物像には古代彫像の身振りを見いだすことができる[☆9]（たとえばアレクサンドロスの頭部［図3-1］やニオベの娘たち［図3-2］）。また《貧者に衣服を分配する聖女カエキリア》（サン・ルイージ・デイ・フランチェージ聖堂［図4］）において、彼は人物を彫刻群のようにあつかい、明るい拡散した光で包んだ。[☆10]ドメニキーノにも、ほかのイタリア人芸術家にも、プッサンの作品を前にしたときの強烈な印象を感じることはない。それはピュグマリオンの身に起きた奇跡がくりかえされ、彫像が突然動きだすのと似ている。いずれにせよ、パラッツォ・ファルネーゼのフレスコ装飾はイタリアの伝統上にあり、バロック時代に模範として役立てられた。大雑把に言えば、ピエトロ・ダ・コルトーナはアンニーバレ・カラッチの《バッコスの凱旋》（図5）に力動的な感覚を加えて、典型的にバロック的なバッカナーレ（図6）を創出したにすぎないのである。[☆11]

タッソが『詩法論』（*Discorsi dell'arte poetica*）と『英雄叙事詩論』（*Doscorsi del poema eroico*）において開示した諸規則を、彼自身の実践から説明するのは困難なことであろう。せいぜい、『世界創造の七日間』（*Sette Giornate del Mondo Creato*）のような晩年の詩における時間の長さと十一音節のリズムがウーゴ・フォスコロを先取りする新古典主義的抑揚を与えていること、また『トッリズモンド王』（*Il re Torrismondo*, 1587）第二幕の最終段でトリスモンドがスウェーデン王の来訪の祝祭を催すよう命じるときに、タッソが自ら開示した理想に近づいていると確認できるくらいであろう。しかしながら、「壮麗」や「音の響き」というタッソの概念にもっとも接近したのは、ミルトンの叙事詩なのである。

> 文体の三つめの要素である構成は、文や文の一部をなす節が長ければ、壮麗な感じを帯びるでしょう。……一般の用法に逆らって動詞を配置することも、頻繁にはできないことですが、弁論に気高さをもたらします。[☆12]

文の要素と文節の長さ、つまり文末の韻律の長さは、散文のみならず詩句においてなおさら、演説を偉大で壮麗

ヘレニズム期彫刻
図3・1——《アレクサンドロス大王像の頭部》紀元前二世紀～紀元前一世紀
アレクサンドリア出土　大理石　大英博物館
図3・2——《ニオベの娘たち》紀元前三三〇年頃～紀元前二五〇年頃　大理石
一五八三年　ローマ　ヴィーニャ・トマジーニ出土
フィレンツェ　ウフィツィ美術館

図4——ドメニキーノ
《貧者に衣服を分配する聖女カエキリア》
一六一一年〜一四年 フレスコ
ローマ
サン・ルイジ・デイ・フランチェージ聖堂
ポレ礼拝堂

図5——アンニーバレ・カラッチ
《バッコスの凱旋》一五九七年〜一六〇六／一六〇七年　フレスコ
ローマ　ファルネーゼ宮　ガレリア

図6——ピエトロ・ダ・コルトーナ
《バッコスの凱旋》一六二五年頃
ローマ　カピトリーノ美術館

なものにするのです。[13]

分解された詩句は、ひとつが別の中に入りこむことにより……演説を壮麗で崇高なものにします。[14]

（英雄詩人は）美しい物事のうち最も美しいものを、偉大なもののうち最も偉大なものを、驚異的なもののうち最も驚異的なものを選びだします。そして最も驚異的なものについて、新奇さと卓越さを高めようとするのです。[15]

詩のあらゆる形態のうち、英雄詩が勝利を手にしたとタッソはみなしている。また、もしミルトンが悲劇を描くという初期のアイデアを捨てて、かわりに叙事詩を書いたとすれば、この変更はタッソの説明の影響に依拠した可能性がある。

私はもはや、悲劇は短い時間で物語を結末まで導くことができないこと、この喜びはもはや制限されないことを否定できません。喜びの生成は、悲劇においても喜劇においても、小さな身体と大きな身体の力量のように起きます。なぜなら、たとえ大きな身体の力量のほうがより統一され、より分散したとしても、誰も小さいことを選んだわけではないからです。しかし両者が相対するときは、大きな身体の力量のほうが大きくなります。これと同様に、英雄叙事詩の喜びのほうが大きく、むしろそれが真の喜びなのです。そこでは、悲劇の喜びが悲しみと落涙と混ぜあわされ、すべてが悲嘆で満たされるでしょう。……ただし私は、悲劇のほうが結末にうまく到達すると認めるわけではありません。むしろ、悲劇は遠回りで歪んだ道を通っていくのに対して、英雄叙事詩はまっすぐに結末に向かいます。二つの方法で範例を役立てることができるでしょう。ひとつは、至高の美徳とほとんど神聖と言ってよい功績という勝利をわれわれに見せることにより、われわれに良きおこないを鼓舞すること。

もうひとつは、罰や苦悩をともなうものによりわれわれに恐怖を与えること。前者はまさに英雄叙事詩であり、後者は悲劇なのです。[☆16]

英雄叙事詩の文体は、悲劇の簡潔な重さと抒情詩の華やかな美しさの中間に位置しますが、並はずれた威厳の輝きで双方を凌駕しています。[☆17]

エリオットがミルトンに見いだした、「彼の描きだすイメージは（シェイクスピアのそれのような）細部の感覚をもたらさない」、また彼の統語法の編纂は「言語的響きの要求に規定されている」という短所は、タッソの教えにさかのぼらせることができる。ホメロスとウェルギリウスを比較することにより、どちらがより高い力量をもつのかを問えるというのである。

カステルヴェトロが言ったように、一方［ホメロス］はものごとを目前で起きたかのように、詳細に見せます。他方、すなわちウェルギリウスは、より普遍的な次元に立ちます。カステルヴェトロの目に映ったとおり、それは技術の不備のせいですが、私が評価するところでは、より壮麗に、より重厚に物事を述べるためなのです。なぜなら、物事をこと細かく描写したところで、どちらの美点にもつながらないからです。[☆18]

英雄叙事詩においておもに必要なのは心地よい響きです。そこに、ドーリス人女性のふるまいのような、素行の品位や威厳が保たれます。[☆19]

タッソは少なくとも理論上は、古典作家の厳密な模倣を推奨している。

ギリシアとラテンの詩の諸原則を範例とせずには、なにごとも考察できません。一方、新しい道を探すと、称讃よりも多くの非難や譴責をひき起こします。[☆20]

われわれが称讃するかの演説、かの詩歌は、このうえなく厳密であると同時にこのうえなく壮麗で、フェイディアスの彫像によく似ています。彼の彫刻は非常にきめ細かい技術でつくられ、洗練と偉大さをもちあわせていました。[☆21]

ギリシア彫刻の理想美は、かの人文主義後期の画家と詩人たちの心を奪ったようである。それでも、アンニーバレ・カラッチとタッソがそれらを目の前にしたとき、数世紀にわたって血脈に流れていた古典主義の妖術に対抗する解毒剤を彼らはもっていた。しかしプッサンとミルトンは、古典美の理想を信奉するやいなや、その魔法に魅了された。それはまるで、伝承に語られる、ウェヌスの大理石像の指に結婚指輪をはめた若者のようであった。壮麗さと厳粛さはミルトンにとって揺るぎなき規則となった。彼はその叙事詩において［『失楽園』序文］、「別の詩句からさまざまに引き出した詩句」――タッソ曰く、「分解された詩句は、ひとつが別の中に入りこむことにより……演説を壮麗で崇高なものにします」――によってできた文章を使用してそれらを追い求めただけでなく、スマートが指摘したように、すなわちジョヴァンニ・デッラ・カーザのソネットを模倣したソネットでも追求した。[☆22] タッソは若いころに、まさにカーザのソネット「この死すべき人生」（'Questa vita mortal'）について論じている。[☆23]

このソネットの詞はコンジャンクト式［ひとつの核音を共有し、そのまま上下に接続する音形］でつくられ、ひとつの詩句が次の詩句につながらないことはほとんどありません。詩行をこのように割ると、あらゆる教師により教えられたように、多大な厳粛さを生じさせます。その理論は、詩行の分割は演説の流れを抑制し、遅さの原因になり、この遅さがまさに厳粛さの特性となるというものです。ただし、このうえなく重々しい雅量に付随するとき、遅さは言葉と同じく動きの要因となるのです。

ミルトンがタッソの中に見いだしたのと同じ諸原則を、プッサンはローマの学識者たちと接するなかで、とりわけ、カッシアーノ・ダル・ポッツォという熱心な古代遺物蒐集家の知的サークルと交流するなかで、消化吸収することができた。フランス人画家プッサンに、ジョゼッフォ・ザルリーノの『ハルモニア教程』(*Istituzione armoniche*, Venezia, 1558)を教示したのはおそらくダル・ポッツォであり、画家はそこからいくつかのアイデアをひきだしたにちがいない。[☆24]プッサンにとっても、一枚の絵画にあるものすべてで高尚な情動の漏出をくいとめねばならなかった。そこで必要になるのが単一性である。この目的を叶える「偉大で壮麗な」(grandes et magnifiques)ものだけに関心を集中すべきであり、「俗っぽく重みのない細部」(détails vulgaires et de peu de poids)は無視すべきである。[☆25]フリュギア式とドーリス式の古くからの区別は、タッソに採用され、次のように説明された。[☆26]

フリュギアの音楽、リディアの音楽、またそれらが混ぜあわされた音楽は、悲劇においてもカンツォーネにおいてももっとも追求されました。魂を揺り動かし、魂を自ら動かせるような音楽と同様ではありますが、それらは魂の訓育には適していません。……ただし、荘重で安定した、ドーリス式に似た音楽は、ほかのなににも増して、英雄叙事詩に役立つことでしょう。

この区別を広めたのはザルリーノであり、プッサンは彼から学びとっている。すなわち、古代ギリシア人は、「愉快で楽しいこと」(choses plaisants et joyeuses)のイデアを覚醒させるために「フリュギア式」(mode phrygien)を使い、「ドーリス式」(mode dorique)は「安定し、荘重で、厳格な」もののイデアに特化して使った。プッサンにとって、これはホラティウスの教えのまさに正反対であり、「詩は絵のごとく」(ut pictura poesis)ではなく、「絵は詩のごとく」(ut poesis pictura)となったのである。また詩は、彼にとってもミルトンにとっても、なによりもまず音楽であった。シャントルーに宛てた旋法についての有名な書簡の別の一節では、ザルリーノの教本から次の部分をそのまま引用している。

詩人は多大な入念さと驚異的な技巧を用いて、詩句に言葉をあわせ、語りを快適にすべく韻脚を配置したりしました。たとえばウェルギリウスは自作の詩を全体的に吟味し、三種類の話法すべてにそれぞれにあう詩句の音を適合させるべく、自分が論じる事柄が言葉の音により眼前に現われたと感じるような、かの技術を用いました。[☆27]

またプッサンは、良き詩人たちは「多大な入念さと驚異的な技巧を用いて、詩句に言葉をあわせる」と述べている。ウェルギリウスはほかの誰よりも巧みに、

自分が論じる事柄が言葉の音により眼前に現われたと感じるような、かの技術を用いました。愛について語る話法には、穏やかで心地よく、このうえなく耳に優美に響くいくつかの言葉を巧みに選ぶのが見てとれます。武勲を謳うとき、あるいは海戦や嵐の海を描写するさい、彼は厳格で、荒々しく、不快な言葉を選び、それを聴いても口にしても恐怖をひきおこすようにしています。[一六四七年一一月二四日付、プッサンからシャントルー宛の書簡]

プッサンは、ザルリーノの音楽論に自身の絵画様式を正当化する証明を見いだしたのであり、彼にとって絵画は、音楽と同様に、魂の状態の置換であるべきであった。彼の画業にはフリュギア式からドーリス式への転換が見られ、

ますます簡潔、厳粛、荘重になっていくが、この画家の折衷的な性質をふまえればわかるように、フリュギア式が完全に消滅することはなく、むしろ彼の最晩年の作品には再び姿を現わしている。それ以上に明瞭なのは、ミルトンの経歴における同様の変化である。どちらもイタリアで高く称讃された新たな古典主義の教えを究極まで発展させた。プッサンは、興味深いことに考古学的な性質をもつ一群の絵画において、ミルトンは最晩年の作品において。また両者とも折衷主義のもっとも自由な側面をあわせもっていた。

『快活の人』(*Allegro*)、『沈思の人』(*Penseroso*)、『コーマス』(*Comus*)、『リシダス』(*Lycidas*)、『ダモンの碑銘』(*Epitaphium Damonis*)を書いた詩人と、《アルカディアの牧人たち》(デヴォンシャー公コレクション〔図7〕)、《エコーとナルキッソス》(ルーヴル美術館〔図8〕)、《アドニスの死》(カーン美術館〔図9〕)、《ディアナとエンデュミオン》(デトロイト美術研究所〔図10〕)、《アウロラとケファロス》(ロンドン、ナショナル・ギャラリー〔図11〕)、《メルクリウス、ヘルセとアグラウロス》(パリ、エコール・デ・ボザール〔図12〕)、《パンとシュリンクス》(ドレスデン絵画館〔図13〕)、《バッカナーレ》(図14)を描いた色彩主義の画家との比較対照を無理強いするつもりはない。これらの作品において、二人の芸術家は、バロック的な過剰の霊感に身を委ね、神話の王国に想像力をめぐらせている。

ミルトンの『キリスト降誕の朝によせて』(*Hymn on the Morning of Christ's Nativity*, 1629〔『一六四五年詩集』第一篇所収〕)には「イタリアを思わせる暖かな色彩」が降り注いでいる。こう分析したのはティリヤードである。[☆28]彼は讃歌の第三節に登場する装飾的な「平和」像に明確にバロック的なものを見いだした。ミルトンの歌う「柔和な眼差しの」平和は、「山鳩のように、歓び迎える雲を分けて」「銀梅花の杖をうちふ」[☆29]り、たしかに、コレッジョが描く女性像の柔らかさ(図15)を帯びている。[☆30]この讃歌に古典的な何かがあるとすれば、それは「とぐろを巻き、恐ろしい鱗の生えた尾をふる」「地底の狭苦しい所につながれている年老いた龍」[☆31]のように、アイスキュロスやピンダロスの描く勇敢なイメージを呼び起こす。ところがこの讃歌にはすでに、視覚的なイメージよりも、音により情動を表現する彼の傾向が、はっきりと認められるのである。

図7――ニコラ・プッサン
《アルカディアの牧人たち》一六二八年頃～一六二九年頃
チャッツワース　デヴォンシャー公コレクション

図8――ニコラ・プッサン
《エコーとナルキッソス》一六三〇年頃～一六三七年
パリ　ルーヴル美術館

図9——ニコラ・プッサン
《アドニスの死》一六二六年～一六二七年
カーン　カーン美術館

図10――ニコラ・プッサン
《ディアナ（セレネ）とエンデュミオン》一六三〇年頃
デトロイト　美術研究所

図11――ニコラ・プッサン
《アウロラとケファロス》一六三〇年頃
ロンドン　ナショナル・ギャラリー

図12――ニコラ・プッサン
《メルクリウス、ヘルセとアグラウロス》一六二四年頃～一六二六年頃
パリ　エコール・デ・ボザール

ニコラ・プッサン
図 13——《パンとシュリンクス》一六三七年
ドレスデン　国立絵画館

ニコラ・プッサン
図 14——《シレノスの凱旋（バッカナーレ）》一六三六年頃
ロンドン　ナショナル・ギャラリー NG 四二

図15――コレッジョ
《ダナエ》一五三一年頃
ローマ　ボルゲーゼ美術館

ニンフたちは、枝さし交わした森の暗い陰で悲しんでいる。☆32
The Nimphs in twilight shade of tangled thickets mourn.

使われる形容詞は、その意味だけを見れば慣習的である。「薄明りの」(twilight)は不可避的に「陰」(shade)をともない、「もつれた」(tangled)は「茂み」(thickets)をともなう。同様に『コーマス』でも、「ごつごつの幹」(rugged bark)、「楡の大木」(broad elm)、「緑の葉」(verdand leaf)などが使われているが、その音の組みあわせは、純粋な意味を超えて悲痛な調子を生みだしている。

若きミルトンの詩から色彩が消えたことはない。概して、ウェルギリウス風の憂鬱の効果を表現するために使われる。

いま黒雲から夜目にもあざやかな
銀色の光がさしたと思ったのは、
私の思いちがいかしら。いいえ、まさしく、
黒い雲が夜目にも、はっきり銀色の裏地を
ひるがえし、茂った森に光を投げている。[☆33]

また、さらに執拗に音に載せられているのは、

太陽が燃える光を投げはじめるとき、
女神(メランコリー)よ、昼なお暗い木下道や
森の神(シルヴァン)の好む松や樫の古木の陰や
……うす暗いところへつれていってほしい。[☆34]

ミルトンにみられるこの哀歌からの霊感は、プッサンの背景の、絹糸のような雲におおわれた薄暮の空、ティツィアーノが《バッコスの祭典》(図16)や《ウェヌスの祭典》(図17)に描く紺碧に彩られた空と符合する。そのような背景の前にプッサンが描きだす半神、ニンフ、サテュロスたちは、アンニーバレ・カラッチとピエトロ・ダ・コルトーナの描くそうした人物を想起させるが、それ以上に、古典期の浅浮彫りや壁画の人物を思いださせる。プッサンの雲は異教的な官能を呼び起こすが、画面構成のリズムにより、実に斬新な空想力に、おちつきがありほとんど神聖と言ってもよい性質を与えている。ミルトンもまた、ティリヤードの言葉を借りれば、「韻文化の厳格さの裏側に、彼の活発な本性を隠そうと躍起になった」[☆35]。『チャールズ・ディオダーティへの第一哀歌』(*Elegia Prima ad Carolum*

図16――ティツィアーノ・ヴェチェッリオ《バッカナーレ（アンドロス島のバッコス祭）》一五二三年～一五二六年　マドリード　プラド美術館

図17――ティツィアーノ・ヴェチェッリオ《ウェヌスの祭典（ウェヌスへの奉献）》一五一八年　マドリード　プラド美術館

図18───ニコラ・プッサン
《境界柱像の前で踊るバッコスの巫女たち》
一六三二年〜一六三三年
ロンドン　ナショナル・ギャラリー、NG62

*Diodatum*）に集められた美、すなわち処女の合唱、宝石の輝きに勝る眼、ペロプスの象牙の肩あるいは天の川よりも真っ白な首、輝く巻き毛、クピドの金の網、──

そして誘うような頬と並べれば、ヒヤシンスの
緋色も、君の花、アドニスのはにかむような
赤色さえもくすんで見える。☆36

Pellacesque genas, ad quas hyacinthine sordet
Purpura, et ipsa tui floris, Adoni, rubor.

これらは、プッサンがフリュギア式に構想した画面に描いたのと同じものである。いずれの芸術家においても、五官の熱望がバッコス祭の情景をかたちづくっている。

『第五哀歌、春の訪れに』（*Elegia Quinta, In Adventum Veris*）のラテン語詩句こそ、《境界柱像の前で踊るバッコスの巫女たち》（ロンドン、ナショナル・ギャラリー［NG62］［図18］）への最良の注釈になるのではなかろうか。☆37

サテュロスたちもまた、黄昏時の薄暗がりを、
　花咲く草原をぬうように乱れ舞う、
そして神でも山羊でもなく、その二つをあわせもつ
シルウァヌスが、糸杉の冠をかぶり、その後ろを跳ね回る。
ドリュアスたちは木のうろの住処をでて、
　岸辺や、寂しい谷を歩き回る。
パンはここぞとばかりに放蕩を尽くす。その好色な狩には、
　ケレスとキュベレも安心してはいられない、
ファウヌスはと言えば、褒美を得ようと情熱を燃やし、
　誘惑する山の精オレイアスを追いかけて、飛ぶように駆け、
先に跳んで逃げる彼女も、跳びすぎてはいけないと、
　身を伏せて隠れながら、見つかるようにと願う。[☆38]

Nunc etiam Satyri, cum sera crepuscula surgunt,
　Pervolitant celeri florea rura choro,
Sylvanusque suâ Cyparissi fronde revinctus
　Semicaperque Deus, semideusque caper.
Quaeque sub arboribus Dyades latuere veturstis
　Per iuga, per solos expatiantur agros.
Per sata luxuriat fruticetaque Maenalius Pan,

Vix Cybele mater, vix sibi tuta Ceres,
Atque aliquam cupidus praedatur Oreada Faunus,
Consulit in trepidos dum sibi Nympha pedes,
Iamque latet, latitansque cupit male tecta videri,
Et fugit, et fugiens pervelit ipsa capi.

この官能的な異教主義の占める割合は、ミルトン作品を全体としてみると最小限にとどまるのに対して、プッサンの絵画作品には豊富にあふれている。ただし、次のような表現を見れば、それがミルトンの歌う官能性を強調したものであったことは明白である。

ほかの者どもが、いつもする慣わしのごとくに、
牧婦のアマリリスと日陰で戯れ、牧婦ニイーラの
頭髪のもつれ毛を弄ぶほうが、ましでなかろうか。☆39

しかしながら、「熊手でかきだしたものは、すぐにもとどおりになる」（naturam expelles furca, tamen usque recurret［ホラティウス『書簡詩』一・一〇・二七］）。同じような楽園の歓喜は、ミルトンの手で、高貴なるバッコス祭に読みかえられた。

永遠の結婚式で君は喜ぶことであろう。
そして熾天使とともに調和した合唱に加わるであろう、
そこでは歓喜が支配し、恍惚とさせる竪琴が

燃えあがる合唱の祝福されたオルギアを指揮する。[40]
Aeternum perages immortals hymenaeos;
Cantus ubi, choreisque furit lyra mista beatis,
Festa Sionaeo bacchantur et Orgia thyrso.

わたしたちが幸福であり、幸福には愛が不可欠だと
いうことをおまえに言えば、それで充分ではなかろうか。
おまえが肉体で味わっている清らかなものはそれがなんであれ、
(そして、おまえは清らかな者として創造されている)。
わたしたちもまたそれを豊かに、優美に味わっている。それを
邪魔する、粘膜とか関節、手足、といった障害物はなにひとつない。
もし天使たちが抱擁しあおうと思えば、空気と空気が交わる以上に
軽やかに全面的に交わり、純粋と純粋との合一をめざす。
人間の肉体と肉体が、もしくは魂と魂が交わるときのような
かぎられた交わり方をそこでは必要としない。[41]

ダンテは、自身の変容をグラウコスの変容と、すなわち「彼を海の神々の仲間にした」海草を味わううちに変容したことと比べたあとで、こう書いている。

超人化を言葉で表わすことなど

図19――ニコラ・プッサン《花々の変容（フローラの王国）》一六三一年　ドレスデン　国立絵画館

できないであろう。☆42

ところが、ミルトンとプッサンはそれぞれ言葉と描線でもって、ダヌンツィオの表現を借りれば「感覚を剥ぎとられた官能性」という、二人に共通するものを表現しえている。たとえば、プッサンが《バッコスの祭典》の少しのちに描いた《花々の変容（フローラの王国）》（一六三一年、ドレスデン国立絵画館［図19］）には、ヴェネツィア派の官能的な豊饒さが古典作品の理想的形態の影響により洗練され、精神的なものに変えられているのが見てとれる。肉体ではなく、身体の輪郭に画家は関心を注いでいる。パーゴラにはアレクサンドリア風のヘレニズム的洗練がある――古代ローマの壁画を参照したと思われ、ルイ・ウールティックの「フローラの装飾花壇を縁どる樹木のアーケードは、フランス式庭園の産物であり、イタリア式パーゴラとはあまりに異なる」☆43という断言はあてはまらないであろう。また異教の殉教者たちの若々しく優美な姿の隣に咲く花々を見ると、死すべき存在に変身した花々が、常春を呼びさますと同時に、寓意的象徴で飾りつけた気どりももっている。ベッローリは時折、ひどくやつれた優美を彼の文章の韻律に溶けこませることがある。[☆44]

ある庭園にナルキッソス、クリティア、アイアス、アドニス、ヒアキントゥス、そして花々をふりまき、アモルたちと踊るフローラが表わされている。ナルキッソスは水の精ナイアスの一人の傍に身をかがめ、ニンフは水を満たした壺を差しだしている。ナルキッソスは水に自分の姿を映してうっとりと眺め、腕を広げてむなしい自己愛を表わす。自己愛ゆえに、彼は死とともに花に変わった。クリティアは愛する太陽に顔を向けている。太陽神は黄道十二宮の獣帯の中を、天高く馬車に乗って走り、一方で彼女は、眼だけで陽光を受けとめられないかのように、片手をかざしている。後方では猛り狂ったアイアスが、死に瀕して、剣の切っ先にその身を投げだす。彼は裸体であるが、頭の兜と足下の武具により、戦士であることが示されている。美しきアドニスは、槍をもち、犬たちを連れた狩人のいで立ちから見分けられる。彼は痛ましげに、猪により傷つけられたむきだしの腰を指さしている。彼とともに、美しきヒアキントゥスが悔やんでいるのが見え、致命傷を負った頭に片手をあて、もう片方の手で、彼が変身した花をもっている。[☆45]

同種の貞節な官能性は、ミルトンの一部の詩句に見いだせる。たとえば、ラテン詩『第一書記官にして医師の死に寄せて』（*In Obitum Procancellarii Medici*）における、

貴方のために祈ります。
緑の草地で安らかに休まれるように、そして貴方から
生えますように、薔薇、マリーゴールドの花、

そして緋色の声をしたヒヤシンスが[46]……

membra precor tua
Molli quiescant cespite, et ex tuo
Crescant rosae calthaeque busto,
Purpureoque hyacinthus ore...

あるいは、『リシダス』における、実用的な形容詞を付されながらも新鮮な花々の一覧である。

天狼星の光さすさえ稀なる、汝たち低き谷々よ、
緑の草地にて蜜あまき春雨を吸い、
春の花にて一面の大地を彩り、
めづらしき琺瑯の色もかがよう眼すべてをここへは投げよ、
もちきたれ、うち棄てられて世をおわる、咲く日の早き桜草、
房なす花の金鳳花、うす色の茉莉花、
白き石竹、黒の斑のある遊蝶花、
かがよう菫、
麝香薔薇、装いのよき蔦かづら、
うれわしき頭を垂るる淡黄の色の九輪草、
……
アマランサスにはその美のすべてを落とせと、

ダッファディリイには涙もて盆を満たせと、告げよ。[☆47]

《花々の変容（フローラの王国）》（図19）におけるヴェネツィア絵画の影響がもたらしたものは、『コーマス』のイタリア的モデルにも生じた。『コーマス』におけるスペンサー的特質については多く論じられているが、真のモデルがタッソの『アミンタ』であると気づいたものは誰もいないようである。処女を棄てるように令嬢を説得するコーマスの主張は、タッソの牧歌劇の冒頭でダフネがシルウィアに向けて使った論法の発展形である。そのうえ、コーマスはタッソのサテュロスの役割を担っている。『コーマス』は『アミンタ』を霊的に変換したものと言えるであろう。サテュロスは裸体のシルウィアを木に縛りつけて暴行しようとするのに対し、コーマスを縛るのは目に見えない魔法の術である。こうして官能性は五感のおよばぬところに連れさられる。タッソの牧歌はその甘美な雰囲気、その自由かつ美しい旋律で拡散された情熱と絶望、目立たないように導入されたその神話的背景――アモルが歌うプロローグのみ明確にヘレニズム的調べをもつ――とともに、もはや気づかれないほど、古典の抜け殻をまとった中世の道徳劇に改変されたのである。ミルトンは神話的な隠喩をあちこちにまきちらす。それは、プッサンがしばしば自分の絵画作品に、ローマの別荘の緑濃い木陰を飾る大理石像を、そこに新たな生命を吹きこむことなくそっくりそのまま移す方法と同じである。そこで登場するのが新古典主義の神々の行列であり、それぞれが伝統的なアトリビュートをもっている。

大いなるオケアヌスの御名にかけて
願いを聞き届け、姿をお見せください。
大地にひびくネプトゥヌスの鉾と
テテュスの重々しい足なみにかけて、

白髪のネレウスの皺を刻んだ顔と
カルパティアの魔法使いの錫杖にかけて、
鱗の生えたトリトンの巻貝と
……
レウコテアの美しい手と
……
銀糸の靴をはいたテティスの足と
……
リゲイアの黄金の櫛にかけて。[☆48]

しかしながら、こうした古代からの模倣をしたからと言って、ミルトンを新古典主義と定義することはできない。結局のところ、神話的な飾りつけは復興に共通のレパートリーであった。ところが、『沈思の人』の表現を用いるなら、ミルトンは「大理石と化するまでわれを忘れ」、古代に恍惚となるあまり、とりわけ言葉と統語法において大理石と化した。その点において比肩する者は、同時代のヨーロッパ文学におらず、唯一美術において、プッサンがいるのである。

古代の研究、たとえば（かつてプッサンに帰された）複製がドーリア美術館にある《アルドブランディーニの婚礼》（図20）のような壁画、彫像、モザイク画の研究により、プッサンは作品中に単に古典的要素を用いる以上の境地に向かった。そうした利用はニコラ・ピサーノの時代からこのかたイタリアで実践されていたものの、ピサーノは古典的要素の利用であり、プッサンは構成の枠組み、彫像のように切り離す――大理石と化するまでわれを忘れる――という、彼特有の新古典主義的着想であった。[☆49]プッサンは、正確な科学を基盤に絵画を位置づけるデュ・フレノワの試み（『絵

図20・1——《アルドブランディーニの婚礼》フレスコ
一六〇一年　エスクィリーノの丘出土
ヴァティカン美術館

図20・2——《アルドブランディーニの婚礼（模写）》
ニコラ・プッサンにかつて帰属
ローマ　ドーリア・パンフィーリ美術館

画論』[*De arte graphica*]）を頂点とする、ローマで議論されていたさまざまな思想を吸収し、当初モデルとしたイタリアの折衷的な画家らを超えていった。

一点の絵画の制作が音楽や数学に類似した学問であるとしたら、あれこれの様式から要素を拾い集めたものであってはならない。一枚の絵画のあらゆる細部に、主調となる音が聞こえてしかるべきであった。古代人は調律の「A」音を与えた。道は示されていた。そのとき、古代のモデルからひきだしていた教えは、輪郭、素描にこだわるものであった。色彩は付随的な魅力にすぎなかった。そこでプッサンは言う。「色彩は、目を欺く囮のごとく、詩における詩句の美のごときもの」。プッサンはますます素描に集中し、人物と空間との、ヴォリュームと表層との関係を、古代の浅浮彫りに表現されていたように着想した。彼の絵画は、古代の浅浮彫りを画布の上に翻案し、色彩を加えたものであった。これこそ、まるで実験室で実験するように、カラヴァッジョが創始した影と光の研究を科学的な基礎のうえに位置づけるべく、プッサンが用いた驚くべき方法であった。

プッサンは着想（インヴェンツィオーネ）を抱くと、それを理解するに足るスケッチを描いた。すべての人物像の小模型を蠟でつくり、半パルモの寸法の習作にそれぞれ身振りを与えて配置し、物語あるいは寓話を立体的に組みたてると、身体の光と影の効果をたしかめた。続いて、別のより大きな模型を制作すると服を着せ、髪型や裸体の上の衣服の襞を別途確認し、効果をあげるために薄布か濡らしたシャンブレーを使って少し襞を増やし、色彩の多様な変化をだした。こうして、部分ごとに裸体モデルをデッサンした。彼が着想のために描いた素描は正確に輪郭を追求したものではなく、むしろ単純な線と簡単な水彩の明暗で構成されたものであるが、動きにしても表情にしても完全な効果をあげていた。☆50

プッサンは建物も、また場面に付随するさまざまなものも蠟で原型を制作した。最後に、この一種のプレゼピオを囲むように箱を建てて、絵画が設置される場所と同じになるよう明りとりを開けた。この方法によれば偶然に委ねるものは一切ない。とはいえ、絵画に統一と一貫性を確保するという実利的な目的のみに使用されたわけではない。この方法を用いて、プッサンは人物像を造形しながらその創意に満ちた触知的な直感を満足させ、人物たちを立体的に見ると同時に、プレゼピオに似たミニチュアの模型を使うときのように、実に明瞭でありながら実に遠い事柄をじっと観察して目に焼きつけた。そのうえで、その印象を、完成した絵画の魔法にかかったような、白昼夢のような、ゆるぎなく荘厳な表現に翻案したのである。

プッサンの絵画作品の魅力は、触覚的な経験の記憶をふんだんに吸収している点、プレゼピオに特徴的な水槽に射す奇妙な光に満ちている点にある。プッサンは精神の目だけではなく肉体の目で、自らが描く聖書の場面、ギリシア、あるいはローマの光景を現実に見ていた。彼はその出来事の時代にいたようにあらゆる細部を観察し、登場人物の身体と衣服になんらかのかたちで触れていた。彼のこの方法は、まるで考古学的復元のようである。ただし、それを考案した頭脳は、博学で学問的な要求だけを満たしたと彼は信じていたのであるが、実際は、形而上学的な熱望を叶えていたのである。より巧みに夢想させるための方法と技術に陶酔したのである。

まさしくT・S・エリオットがミルトンについて評したように、プッサンは死んだ言葉を語った、と言う者がかつていた。「構想の強さ、その効果の甘美さ、あるいは鍛錬された構成に最終段階で修正が加えられ、結合による手落ちも犠牲もまったくない」[ドラクロワ、一八五一年六月六日の日記]。ところでミルトンも蠟の模型をもっていた。彼が使う蠟とはラテン語の統語法であり、言葉のもつ古典的な本質に洗練された英語の衣服を着せたのである。彼の荘厳な言葉、彼の技巧的な文章、それらはかつて古代ローマの元老院議員であったことをおぼえているイギリス人貴族であり、古代ローマの属州を歩調をそろえて行進した蛮族の軍隊であった。彼の詩句から発散される魔術の雰囲気は、プッサンの絵画から発せられるそれのようである。T・S・エリオットの言葉を借りれば、それこそがミルトンの「重々しい戯言」であった。

初めは書物から教養をむさぼりえたことにより、のちには視力の喪失により、ミルトンが自然の直接的な観察から遠ざかったのは疑いがない。『快活の人』と『沈思の人』にいたっては、かつては彼がホートンに滞在して田園の静けさから直接霊感を得たと信じられていた――デイヴィッド・マッソンの『ミルトン伝』［一八五八〜九四年］における、ヴィクトリア朝批評の興味深い一文「父の家の庭にたつ楡の樹々の下で彼は田園の奏楽に耳を傾けた……」――のであるが、実はアカデミックな訓練にほかならなかったことが証明されている。☆51 たしかに、ミルトンがヴァッロンブローザの森を散歩したら喜びを感じたことであろうが、イメージが彼の内面に再現されたとき、それは古典の直喩の形式に収まり、現実から離れて彼が新たに創造した「英雄的」イメージとなった。

プッサンの場合はより複雑である。プッサンにおいても、生来の自然感情は文化により窒息させられ、円熟期の画面に姿を現わす機会はなかった。しかし「自然の美しき効果」に対する彼の愛好は、現実にもとづく膨大なスケッチにより立証されている。実に動きがありおちつきがなく、ほとんど印象主義者のようなこれらのスケッチは、ヨーロッパ各地の版画素描室に保管されている。また、ミルウィウス橋の向こう側の、彼がひとりで歩き回り、自然から学びとるのが常であった谷間が「プッシーノ（プッサン風）」と呼ばれることで保たれた伝統によっても立証されている。後期の絵画では、プッサンはますます多くの作品の場面を自然風景に設定するようになった。正確にこれはこの土地の、これはあの土地の風景というわけではなく、ローマ平野の「英雄叙事詩的」集合体に、画面を設定するようになっていく。芸術の模倣者としての自然。プッサンはローマの風景に結晶化をほどこし、それゆえ後世の人びとはローマの風景を「英雄叙事詩的」性質のものとして、そのように解釈した画家の目を通して眺めたのである。

「英雄叙事詩的」風景をプッサンは瑞々しく異教的な驚きをもって、今日ならば――ダヌンツィオの批評で多用されすぎた用語を使うとすれば――パニック（牧神パンの出現によりひきおこされる恐慌）と呼ぶべき感覚をもって再生させた。《ポリュフェモスのいる風景》（エルミタージュ美術館［図21］）、《ダフネに恋するアポロン》（ルーヴル美術館［図22］）は、正真正銘の神話の息吹に活気づけられている。☆52 これと同じ展開の道は、失明したミルトンには閉ざされた。かつ

ニコラ・プッサン
図21———《ポリュフェモスのいる風景》一六四九年
ザンクト・ペルブルク　エルミタージュ美術館
図22———《ダフネに恋するアポロン》一六六三年頃～一六六四年頃
パリ　ルーヴル美術館

て自然のさまざまな様相が彼にどれほど歓喜を与えたとしても、彼がその痕跡をとりもどすには他人の案内に身を委ねなければならなかった。ウェルギリウスとタッソが彼の手を導き、彼らの後ろにはホメロスがいた。実際、『失楽園』はどの章を見てもホメロス的精神に満ち満ちている。詩論では、それをキリスト教的「メーニス」（Μῆνις）、すなわち、人間の犯した罪に対する神の怒りと呼ぶ。

古代の叙事詩を模倣するうえで、イタリアの詩人たちは概して折衷的であった。彼らのしきたりはホメロスとウェルギリウスを混ぜあわせることである。一六世紀ヴィチェンツァの人文主義者で詩人のジャン・ジョルジョ・トリッシノのような規則にこだわる者のみが、詩の初めから終わりまでホメロス風を貫く難題をひきうけた。ところが外国人は、妥協することなく、それでいて詩人であることをやめずに、ホメロス風でいられた。外国人はアリストテレスの悲劇観念に忠実に従い、理論ありきで詩的直観のかけらもないジラルディ・チンティオやほかのイタリア人文学者の平板な貧弱さを避けることができた。さらに、外国人は考古学をおもな霊感源とし、詩人と同時に偉大な画家になりえたのである。ミルトン、コルネイユ、[☆53]プッサンにはすでに、イタリアの地で誕生しアルプス以北ではじめて最適な風土を見いだした、この新古典主義の先駆が認められるように思われる。

外国人芸術家らにおけるギリシアの単純さの探求は、パッセリも指摘していた。[☆54]フランドル出身の彫刻家フランソワ・デュケノワに関して、彼はこう考察する。デュケノワは「ギリシア様式の厳密な模倣者たることを表明しようと望んだ。それを完璧な制作の真の熟練と呼んだのは、そこに偉大さ、高貴さ、荘厳さ、優美さを同時に認めるからであり、これらの特質はひとつの構成にすべてを統合するのがむずかしいからである。なお彼は、プッサンの観察によりこの好みを増大させていった」。まさにデュケノワは、ヘレニズム彫刻の動きのある激情的なポーズ——その究極の表現はラオコオン群像——から始めて、しだいにより純粋でおちついた古典主義の概念に到達したのである。デュケノワの「重々しい威厳と雅な休息」（Majestas gravis et requies decora）は、ヴィンケルマンの定式「高貴なる単純さと静かなる偉大さ」（edle Einfalt und stille Grösse）と遠くない。[☆55]

ミルトンとプッサンを並列させるとらえ方は、古典的な古代精神の中で聖書主題をあつかう彼らの方法においてさらに適切さを増す。加えて、また別の要因を見ると比較が容易になるであろう。プッサンの宗教画はイタリア的で古典的な方向にとどまりつつも、その主導的な精神は典型的な北方のそれで、ほとんどプロテスタント的、［オランダの神学者ヤンセンの唱えた］ジャンセニスム的であると指摘されている。[☆56] それは宗教性の影響よりも、純粋な形態と崇高な単純さを用いて神聖なものを描く研究の成果であった。若いころから聖書を愛読したプッサンは、キリスト教主題がサンタ・プデンツィアーナ聖堂のモザイク壁画に表わされる方法から強烈な刺激を受けたのかもしれない。[☆57]

ただし、すでにラファエッロが、聖書の場面をどのように古典的ローマ性に翻案できるかを示しており、プッサンの《ダビデの凱旋》（ロンドン、ダリッジ・コレクション［図23］）、《紅海渡渉》（ロンドン、ナショナル・ギャラリー［図24］）、《黄金の仔牛の礼拝》（ロンドン、ナショナル・ギャラリー［図25］）、《エリエゼルとリベカ》（ルーヴル美術館［図26］）などの絵画には、ラファエッロの『使徒行伝』タペスリー原寸大下絵と《キリストの変容》（図27）からの影響が明らかである。つまりプッサンは、ナポレオン時代に古典主義の規則となる伝統を誰よりも早く創始した。すなわち、聖書主題の構成において、古典古代の芸術家と同じ地平にラファエッロを位置づけるという伝統である。こうした主題を、プッサンはギリシアやローマの場面と同じ精神であつかった。彼がつねに目の前に据えたと思われる目標は、タッソが英雄叙事詩について示したのと同じであった。

> 英雄叙事詩の文体は……悲劇の重々しさからも、抒情詩の優美さからも離れていない。それぞれをいとも妙なる荘厳さの光輝へと高めるものである。（タッソ『英雄叙事詩論』四）

この定義に使われた言葉はいずれも、プッサンの「英雄的」絵画に描かれたのではあるまいか。たとえば、《黄金の仔牛の礼拝》（図25）の踊る人びとは「抒情詩の文体の優美さ」を、《バッコスの祭典》のフリュギア式の優美に通

図23――ニコラ・プッサン
《ダビデの凱旋》一六三一年頃～一六三三年頃
ロンドン　ダリッジ・コレクション

図24――ニコラ・プッサン
《紅海渡渉》一六三二年～一六三四年
メルボルン　ヴィクトリア州立美術館

図25――ニコラ・プッサン
《黄金の仔牛の礼拝》一六三三年～一六三四年
ロンドン　ナショナル・ギャラリー　NG5597

図26——ニコラ・プッサン《エリエゼルとリベカ》一六四八年
パリ　ルーヴル美術館

ラファエッロ・サンツィオ
図27――《キリストの変容》一五一六年～一五二〇年
ヴァティカン　ヴァティカン絵画館

図28——ニコラ・プッサン《アシュドドのペスト》一六三〇年〜一六三一年
パリ　ルーヴル美術館

図29——ニコラ・プッサン《エリコの盲人たち》一六五〇年〜一六五〇年
パリ　ルーヴル美術館

図30——ニコラ・プッサン《サビニ女たちの略奪》一六三三年頃〜一六三四年頃
ニューヨーク　メトロポリタン美術館

図31――ラファエッロ・サンツィオ
《ルステラの犠牲》一五一五年『使徒行伝』タピスリー原寸大下絵
ロンドン　ヴィクトリア・アンド・アルバート美術館

図32――ラファエッロ・サンツィオ
《アテネで説教する聖パウロ》一五一五年頃〜一五一六年頃
『使徒行伝』タピスリー原寸大下絵
ロンドン　ヴィクトリア・アンド・アルバート美術館

図33――ニコラ・プッサン
《叙階の秘蹟（ペテロへの鍵の授与）》一六四七年頃
エディンバラ　スコットランド国立美術館

じるなにかを帯びているが、その構成は全体として厳粛さと壮麗さを表わしている。プッサンは《アシュドドのペスト》（『サムエル記上』第五章［図28］）あるいは《エリコの盲人たち》（『ルカによる福音書』第一〇章［図29］）を描こうが、《ダビデの凱旋》（図23）あるいは《サビニの女たちの略奪》（図30）を描こうが、背景はいずれも壮麗な神殿、巨大な建築物、調和のとれた広場のある古代都市であり、サンタ・プデンツィアーナ聖堂のモザイク壁画や、ラファエッロの《ルステラの犠牲》（図31）や《聖パウロの説教》（図32）などのカルトンに認められるのと同じである。ただし規模ははるかに巨大で、古代石棺の浮彫りと同じく、空間を並列させる落ち着いたリズムがある。《叙階の秘蹟》（図33）の風景に描かれた、入口に円柱のついたピラミッド状の建物は、フリードリヒ・ジリーといった新古典主義建築家の記念碑的荘厳さに先駆けている。

室内空間については、主題が「ゲルマニクスの死」であれ「最後の晩餐」であれ「終油の秘蹟」であれ、背景はいずれも背の低い垂れ幕がかかり、その後ろに堂々たる柱列もしくは古代ローマ風の堅固な石壁が見える。垂れ幕は、古典的モティーフであることに加え（《メレアグロス神話の石棺浮彫り》［図34］、《アルドブランディーニの婚礼》［図20］）、舞台のように登場人物の所作をとりかこみ、独立させ、その彫像性を強調する方法である。典型的な家具調度にとどまらない。《聖フランシスコ・ザビエルの奇跡》（図35）の、蘇った女性が横たわる寝台は、この奇跡譚が起きたのは日本であるにもかかわらず、《アルドブランディーニの婚礼》（図36）の古代ローマの寝台と同じである。家具の細部は、プッサンが考古学的霊感の点でいかにジャック＝ルイ・ダヴィッドに先んじていたかを証明している。例として《ソロモンの審判》（ルーヴル美術館［図36］）を見ると、明らかにラファエッロの《魔術師エリマへの罰》（図37）のカルトンに由来している。ただしカルトンの地方総督はあまり豪華でないX字形の腰掛け（ズガベッロ）に座しているのに対して、プッサンの絵のソロモンは玉座に座っている。それはペルシエとフォンテーヌがデザインしたナポレオンの玉座と同じく、正確なアレクサンドリア様式である。プッサンの絵の右側の人物は古代ローマ肖像の複製であり、すでにヴィンケルマンは、このソロモンは「マケドニア硬貨のゼウス」であると指摘していた。[☆58]

図34——《メレアグロス神話の石棺浮彫り》古代ローマ石棺　一八〇年頃　パリ　ルーヴル美術館

図35――ニコラ・プッサン
《聖フランシスコ・ザビエルの奇跡》（パリ、イエズス会修練院礼拝堂）一六四一年
パリ　ルーヴル美術館

図36――《ソロモンの審判》一六四九年
パリ　ルーヴル美術館

図37――ラファエッロ・サンツィオ
《魔術師エリマへの罰（地方総監の改宗）》一五一五年頃～一五一六年頃　『使徒行伝』タピスリー原寸大下絵
ロンドン　ヴィクトリア・アンド・アルバート美術館

L·SERGIVS PAVLLVS
ASIAE PROCOS
CHRISTIANAM FIDEM
AMPLECTITVR
SAVLI PREDICATIONE

《終油の秘蹟》（エディンバラ、スコットランド国立美術館［図38］）における頭にマントをかぶった男は、《イフィゲネイアの犠牲》を描いたポンペイ絵画（ナポリ国立考古学博物館［図39］）のマントの人物の古典的定型モデルに由来する。《ファラオの王冠を踏みつけるモーセ》（ルーヴル美術館［図40］）のファラオ像は、古代壺絵の横たわる人物を想起させる。ラファエッロにこれほど綿密な考古学的正確さを探しても無駄である。すでにベッローリが、《エジプト逃避中に休息する聖母》（エルミタージュ美術館［図41］）の背景に登場するエジプト人祭司の行列は「パレストリーナに保管されている古代のスラ［ナイル］のモザイクの模倣」であると指摘している。[☆59]

プッサンの考古学的正確さが再発見されるには、ダヴィッド、ピエール・ナルシス・ゲラン、アングルまで待つ必要があった。[☆60] たとえば、メングスは、《アウグストゥスとクレオパトラ》（ウィーン、ツェルニン・コレクション［図42］）でベッドの後ろに垂れ幕を配し、ポンペイ絵画を模倣した古典的家具を採りいれており、細部の扱いが自由すぎるほどである。[☆61] おそらく《聖餐の秘蹟》と《悔悛の秘蹟》（シャントルーのための連作、一六四七年頃、エディンバラ、スコットランド国立美術館［図43・図44］）こそ、聖書の物語を古代ローマの表現に翻案したもっとも興味深い事例であろう。《聖餐》では使徒たちが横臥台食卓（トリクリニウム）に座っている。《悔悛》では、プッサンが注文主のシャントルーに宛てた一六四四年五月三〇日の書簡からわかるように、トリクリニウムが確固とした考古学的意図をもってより綿密に描写されている。「私は目下、貴方のために二点めの《悔悛の秘蹟》の絵画を描き始めようとしているところです。この作品では、新しいことを試みることになるでしょう。とりわけ、シグマと呼ばれる半月型寝椅子（tricline lunaire）を丹念に描こうと思っています[☆62]」。

プッサンが実に効果的におこなった聖書の世界と古代世界の並置は、一八世紀初頭のフランスで、古典学者ダシエ夫人がホメロスと聖書をめぐる考察を発表するや否や、ますます強調されることになる。すなわち、ホメロスの歌う英雄たちの風俗は聖書の族長たちの習俗と同じものとみなされた。どちらにおいても、自然は完全な「荘重さと高貴さ」をもって表現され、「真実で堅固な偉大さ」を有していた。

図38――ニコラ・プッサン
《終油の秘蹟》一六四四年
エディンバラ　スコットランド国立美術館

図39――《イフィゲネイアの犠牲》第四様式
ポンペイ　悲劇詩人の家　フレスコ壁画
ナポリ　国立考古学博物館

図40――ニコラ・プッサン
《ファラオの王冠を踏みつける幼いモーセ》一六四五年頃～一六四八年頃
パリ　ルーヴル美術館
図41――《エジプト逃避途上の休息》一六五七年
ザンクト・ペテルブルク　エルミタージュ美術館
図42――アントン・ラファエル・メングス
《アウグストゥスとクレオパトラ》制作年不明
ウィーン　ツェルニン・コレクション

ニコラ・プッサン
図 43———《聖餐の秘蹟（最後の晩餐）》（シャントルーのための連作）一六四七年
エディンバラ　スコットランド国立美術館

ニコラ・プッサン
図 44———《悔悛の秘蹟》（シャントルーのための連作）一六四七年
エディンバラ　スコットランド国立美術館

しかし、こうした思想がフランスで展開される以前に、またイギリスでアレグザンダー・ポープが、ダシエ夫人に学んで「ホメロスの表現の多くは聖書の表現とよく似ており、モーセを除いて世界でもっとも古い作家がしばしばモーセの語彙を使って語った」と指摘し、一貫した英雄的偉大さの手法に則って『イリアス』を書き直そうと試みるより以前に、ミルトンは聖書をホメロスの文体で書きなおしていたのである。テオフィル・ゴーティエがプッサンの絵画についてこう述べている。それらの印象は「完全に宗教的なもので、私はあえて宗教的に異教のものと言いたい。なぜなら、プッサンは熱情と道徳的偉大さをもった男性を描いており、それを英雄に変容させているからである。自然は開花と静かな偉大さへと高められ、そこでは神々が闊歩する。……彼の描く聖人たちは英雄にほかならない」[☆63]。まるでミルトンの文章を一言一句くりかえしているようである。《聖フランシスコ・ザビエルの奇跡》（図37）でプッサンが描くキリストはユピテルに似ている。またミルトンにおいて、神が語るときは「馥郁たる天来の香が天上一帯にくまなく満ち」[☆64]た。そのような世界において、サタンは英雄以外のなにになれるのであろうか。「素材(マチエール)の高貴さ」──アリストテレスのイタリア語注解にもとづく公理──は、プッサンにとってもミルトンにとっても第一要件であった。そのことが了解されると、ミルトンの詩におけるサタンの英雄的な造形を詩人の抑圧の証拠とみなした心理学的傾向の強い近代の批評家たちは、はたして正しかったのか疑わしくなるであろう[☆65]。

ミルトンの宗教詩の重要な一節をかたちづくる華々しさは、プッサンの絵画で古典的建築からなる背景が帯びるのと同じ役割をもっている。荘厳な音色の壁、フリーズや浅浮彫りは、高くそびえて演説の修辞をあふれださせる。それはプッサン作品において、円柱、破風、彫像が登場人物の雄弁な身振りやポーズの上にそびえたつのと同じである。

と、思うまもなく、神殿風に造られた
宏壮な建物が地中から忽然として霧のように浮かびあがった。
まわりには、柱形(ピラスター)や、金色燦然たる台輪(アーキトレイヴ)を嵌めこんだ

ドーリス風の柱がめぐらされていた。浮彫りの彫刻の
ついた蛇腹(コーニス)も小壁(フリーズ)も備わり、屋根は美しい意匠のほどこされた
黄金で葺かれていた。[☆66]

ドーリス旋法の音楽は、ミルトンとプッサンの円熟期のあらゆる作品に現われる。

……汚れた粗雑な耳の人体では、誰にも聞こえぬ、
この天上の妙楽の調べ[☆67]……。

プッサンにおける輪郭の、ミルトンのラテン語風の構文における巧みに編まれた荘厳な詩句のプラトン的協和である。二人とも、先に見た表現をくりかえすなら、「大理石と化するまでわれを忘れ」ており、さらに「音楽と化すまで」とつけくわえたい。エドマンド・スペンサーの「詩人のための詩人」に倣い、音楽家のための画家、音楽家のための詩人と彼らを呼んでもよいかもしれない。最終的に、合理主義に押されてミルトンとプッサンはより知的な感覚に訴える要素に集中し、ピクチャレスクとわかるもの、普遍的ではなく特殊なものはことごとくとりのぞくようになった[☆68]（「画家が苦労してとりくんだ題材が重大であったため、最初の忠告は、歴史画のデコールムに抵触しないよう、些事からできるかぎり遠ざかることであった」）。彼らの理想は、純粋かつ簡素な線の率直さとなる。

プッサンは色彩を和らげ、ほとんど装飾を欠いた、偉大なる単純さにこだわることにより、身振りと群像の音楽的な線のみを残した。熟達した彼の絵画はその気高い雄弁さでわれわれの胸を打つ。その雄弁はダヴィッドが継承すべきものであった。《エリエゼルとリベカ》（図26）については、中央の人物たちの唇からヘレニズム的調べが聴こえるようであると言われる。芸術家の経歴によくあるように、晩年の五〇歳を過ぎたプッサンにおいて、画家‐哲学者の

理論的厳密さは遠き青年期の叙情的な波を映して柔和になり、彼の芸術はより繊細で奥深くなっている。もはや《バッコスの祭典》の衝動的な熱ではなく、郷愁にまかせて神話世界の瑞々しく緑の茂る風景に浸る芸術なのである（《ポリュフェモス》［図21］、《アポロンとダフネ》［図22］、《四季》連作［図45］）。

ミルトンは『失楽園』のホメロス的段階を経由して、『楽園の回復（復楽園）』の厳格で簡潔な修辞に到達した。荒野の孤独の中から発せられる長い演説、ほとんど際立たない清らかな輪郭に現われる思考の動き、全体的な印象は単調である。誰もいない大聖堂に響く、オルガンの音色の荘厳な螺旋。装飾はほとんど異国情緒あふれる名前で呼ばれる意味深いカデンツァにかぎられている。有名な詩句を最後に引用しよう。これに先立つ一節は、ミルトンの古典主義の堂々とした姿を語り、まるでプッサンの絵画の叙述を聴いているようである。[☆69]

豪華な食器棚におかれた葡萄酒の、その香り
ただようあたりに居並んで、その美しさ
ガニュメデスやヒュラスにも優る、背高き
若き男子らが、装いをこらして立っていた。
さらにはるか、樹木の下に、女神ディアナに従う
ニンフたち、またアマルテイアの角からの
果実や花々を手にしたナイアスたち、はたまた
ヘスペリスの淑女たち、ときに軽やかに踊り、
ときに厳めしくたたずむ。かの女たちは、ログレスや
リオネスの地方の騎士たち、ランスロット、
ペレアス、ペレノアらが、深き森で出会った

ニコラ・プッサン《四季》連作
図45‐1――《春（エデンの園）》一六六〇年〜一六六四年
図45‐2――《夏（ルツとボアズ）》一六六〇年〜一六六四年
パリ　ルーヴル美術館

ニコラ・プッサン《四季》連作
図45 - 3――《秋（約束の地の葡萄）》一六六〇年～一六六四年
図45 - 4――《冬（大洪水）》一六六〇年～一六六四年
パリ　ルーヴル美術館

（と、昔また後世に、語られた）妖精を凌ぐ麗しさ。[☆70]

ミルトンは、プッサンのように、ヴェネツィア絵画の色彩の輝きを用いて歌いはじめ、

東の門にまっすぐ歩くと
火炎と琥珀色の光に包まれて、
大きな太陽が堂々とのぼり始め、
雲はさまざまの色に染められている。[☆71]

プッサンの静謐な古典主義的風景画の清廉な仕方で最後を締めくくった。

麗しの〈朝〉は
灰色のアミクトスを肩に、巡礼の足どりで現われた。
彼女は薔薇色に輝く指で猛る雷を
鎮め、雲を追いはらい、四方の風と
身の毛もよだつ妖怪とを圧しえた。[☆72]

均整のとれた動きであたりに晴朗さをふりまくこの光輝く指は、プッサンとミルトンという禁欲的な北方の人文主義者たちの芸術を表わす最後の象徴に思われないであろうか。彼ら二人こそ、イタリアに誕生した新古典主義の理想を成熟に導いたのである。

（一九三八年〔新保淳乃＋伊藤博明訳〕）

# 逆光に見る一七世紀のローマ

現在では自動車の侵入が禁じられ、ふたたび遊歩者に解放されたナヴォーナ広場には、最近の三世紀間に描かれた絵画に登場するような、色とりどりの服を着た無為を楽しむ人びとが集まるようになった。この広場について多くの者が論考を捧げている好著『ナヴォーナ広場――パンフィーリ家の孤島』の中でアントニオ・コリーニが述べているように、ナヴォーナ広場は「地勢学上生き延びた、最も明瞭で最も有名な例のひとつ」に復帰したばかりでなく、そこでは昔も今も変わらずそうした光景が見られる顕著な例となっている[☆1]（図1-1・2）。それゆえ、いまや類似するほかのすべての大都市と同様に、機械化と汚染の坂道を滑り落ちているこの街［ローマ］のまさに中心にあって、かくも永遠で不動の広場は、さながら時間を超越した風土の中に置かれているかのように思われる。それは昔日の宗教画の中で、ざわめく猥雑な情景の地上と、はるかな高みのまばらな雲のあいまに現われる天国との対照を想いみるのに似ている。この広場はたしかにパンフィーリ家の孤島と呼ばれているが、しかしまた、すべての者にとっての孤島でもありオアシスでもある。

ここは、わずかにそれとわかる広場に通じる道を除いては、周囲から完全に隔離され、さながら大洋に浮かぶカモメの巣のように暖かく静かな場所であり、ここを飾っているみごとな建造物を考慮に入れないとしても、ナヴォーナ広場の形姿それ自体が美しい。悲劇的な歴史の想い出や、残虐な過去の悲痛な残像がそのおだやかな外観の中にそっ

図1・1——ナヴォーナ広場　俯瞰図

図1・2——ジョヴァンニ・P・パンニーニ《ナヴォーナ広場》一七二〇年代　ナント　ナント美術館

と忍びこんでいるが、しかしこの広場に重くのしかかっているわけではない。フランス人とスペイン人のあいだの残忍な闘い、拷問具で責められる人びと、鞭打たれる娼婦、戯れに食物を与えられ争って貪る裸のユダヤ人――すべてはこの楕円形に囲まれた広場に浸透したエリュシオン［桃源郷］の晴朗さの中に溶けこみ、さながらここは永遠なる平穏の徴を帯びているかのように思える。

しかしながらここに、人の世の虚しさを暗示するものがまったくないというわけではない。なぜなら、パラッツォ・パンフィーリとパラッツォ・ブラスキという二人の教皇――インノケンティウス一〇世とピウス六世――のパラッツォが、これをめぐる華麗な逸話を語るだけではなく、憂欝な教訓をも告げているからである。この広場を飾っているベルニーニとボッロミーニの最高傑作の注文主である、パンフィーリ家出身のインノケンティウス一〇世はその葬儀が荘厳なものであったにもかかわらず、G・ジーリの『ローマ日記』（*Diario romano*）が語るところによれば、「誰ひとり彼を埋葬しようという考えを抱くものはいなかった」。

それゆえ、「遺体はオリンピアという女性のもとに送られた。そのとき彼女は、自分は貧しい寡婦なので柩と棺衣はあなた方がつくってください、と答えた。しかしそのほかの親族も甥たちも誰ひとり手を貸そうとしなかった。そこで遺体は石積み工たちの集会所に運びこまれ、ひとりの職人が哀れんで獣脂でできた蠟燭に火をつけて遺体の頭のところに置いた。それはこの部屋にいる多くの鼠が遺体を囓ってしまうだろうと聞いたためである。また別のひとりが、遺体の番をする者に自腹を切っていくらか手当を支払った。こうしてさらに一日が過ぎたとき、教皇の執事であったスコッティ師が、粗末な木材で柩をつくるという慈善を施した。また、かつてインノケンティウスに仕えていたが、そののち彼によって追放され、今ではサン・ピエトロ大聖堂の司教に就いたセーニ猊下が、仇に恩を報いて、彼を埋葬するために自分の懐から五スクードの金銭をだした」。

遺体は一八三四年になって発見され、ようやくそのときになって一族の墓所におちついたのである。一方、かの女性オリンピア・マイダルキーニ、すなわち、上述の『ナヴォーナ広場――パンフィーリ家の孤島』に寄せた、インドロ・モンタネッリによる機知に富んだ序文によって、人びとの想い出に長くその名をとどめ、伝説化した悪女オリンピアは、本来ならば、おそらく彼女によって創立されたコレッジョ・インノチェンツィアーノの司教たちによって執りおこなわれる荘厳な葬儀のあとで、サンタ・アニェーゼ聖堂の地下墓室に眠るはずであった。ところが実際には、彼女の生地サン・マルティーノ・アル・チミーノで死去し、この田舎の広大な、寂しい、灰色のゴシック様式の聖堂に、彼女が住み慣れたバロックの輝きから遠く離れて埋葬された。

他方、インノケンティウス一〇世の甥に嫁いだもう一人の、アルドブランディーニ家出身のオリンピアは、リーナ・モンタルトが『ナヴォーナ広場――パンフィーリ家の孤島』のなかの、コレッジョ・インノチェンツィアーノに関する章で述べているように、「パンフィーリ家の図書館に描かれた踊る小アモルや紺碧の天空の星々の瞬きに包まれて、芸術作品として永遠にその姿をとどめている」。

ブラスキ家出身のピウス六世は、自分の脚を見せびらかすのが好きな、とうてい聖人とは言えない人物であった（パスクィーノの像［の落書］では、彼は飾りたてた帽子と優雅な脚をもつ喜劇役者と呼ばれた）。彼は自分の甥たちが住むにふさわしい住居として、ほかの教皇一族たちのパラッツォと豪華さを競うパラッツォ・ブラスキを建てさせた（そのことについては、カルロ・ピエトランジェリが『ナヴォーナ広場――パンフィーリ家の孤島』のある章で書いている）。見る者に強い印象を与える大階段を備え、〈成金〉（parvenu）趣味が露わな費用のかかったパラッツォ（その建造には九〇万スクードが浪費された［図2-1・2・3］）の美術品はのちにフランス人によって略奪されることになる。そのさい、ヴァラディエの父親が制作し、それだけで二二の箱を必要としたデザート用の高価な銀製の食器類も同じ運命にあっている。

またピウス六世自身も、フランス捕囚中にみすぼらしい部屋の中で死んだ。彼はかつて浪費家で閨閥主義者（ネポティスタ）であったが、その惨めな死にざまによってその所業を贖うことができたというわけである。彼の遺骸は一時的に質素な寝台に安置され、柩に入れられてからはヴァレンツァの城砦の一部屋に置かれた。この教皇が制作させたローマの多くの建造物や彫像には「ピウス六世の偉大」(Munificentia Pii Sexti) という文字が刻まれている。そして、ローマの民衆が飢

図2・1・2——パラッツォ・ブラスキが誇る
カリギュラのポルティコに由来する
一八本の円柱を配したみごとな大階段

図2・3——パスクィーノ広場から見た
〈パラッツォ・ブラスキ〉一七五五年頃
C・サンティによる銅版画

図3——パラッツォ・ブラスキの角に立つ〈パスクィーノ像〉

餓に苦しめられていたある日、その同じ銘文がパスクィーノ像の首に吊るされた丸パンに書かれていた。まさしくパスクィーノの像に、である。

このパスクィーノ像（図3）はパラッツォ・パンフィーリとパラッツォ・ブラスキのあいだに配置されていたが、これほどこの教皇の宮廷の入口に、荘厳であると同時に民衆的で、それゆえに快活で屈託のない宮廷の入口に、すなわちナヴォーナ広場に、ふさわしい像はほかにないであろう。もしも「この世の栄光は儚し」（transit gloria mundi）という言葉が使い古されたものであるとしても、これら二人の教皇、インノケンティウス一〇世とピウス六世の場合ほどこのモットーにふさわしい例はいまだかつてなかった。

「憂鬱な教訓」と私は言ったが、もしナヴォーナ広場の意味するものがただその過去の記憶に尽きるのであれば、この場所は何世紀ものあいだに生じて消え去ったそのほかの多くの大事件の光景の演じられる華やかな舞台とはならなかったであろう。しかし、ルクソール、ペルセポリス、さらにプラハについてもそう言えるのだが、名高い歴史上の遺跡や都市に起こったように、ナヴォーナ広場も沈黙と忘却の棺衣をかぶせられることはなかった。ナヴォーナ広場は現在と同様、一七世紀からずっと、いつもそこに押しかける庶民の群によって活気を保ってきたのである。その運命は、ヴェネツィアのサン・マルコ広場のそれに似ている。そこでは群衆は草のように、戦場に生える草についてのカール・サンドバーグの詩「草」（'Grass'）に歌われているように、またエドガー・キネの有名な詩句の中のヌマンシアの廃墟に咲く花のように、たえず新しく萌えいずるのである。

ナヴォーナ広場の年代記とこの広場を舞台として演じられてきた歴史は別のものである。ある意味では、ナヴォーナ広場に生命を与え続けてきたものは、前者であった。まさにそこには美術品があり、『ナヴォーナ広場——パンフィーリ家の孤島』にはデオクレチオ・レディグ・デ・カンポスによる、パラッツォ・パンフィーリ自体を飾る美術品についての詳細な記述がある。彼は記述にあたってローマのオーストリア文化研究所の調査を利用することができた。彼は「バッコスの広間」のフリーズの作者としてアンドレア・カマッセイを特定し（ヤーコブ・ヘスはアゴスティーノ・タッシについての著名な論考でこの作品の実作者をジャチント・ブランディに帰している）、またジャチント・ジミニャーニを「ローマの歴史の広間」の画家として特定した（おそらく下絵はピエトロ・ダ・コルトーナである）。

またデ・カンポスは「オウィディウスの広間」の絵画の作者を、ヘスやウォーターハウスのようにカマッセイとするのではなく、ジャチント・ブランディとし、「諸国の広間」のフリーズの作者を（タッシではなく）ジミニャーニとした。また「東洋人の広間」の画家としてはフランチェスコ・モーラを挙げている。『ナヴォーナ広場――パンフィーリ家の孤島』の噴水についての章で、チェーザレ・ドノフリオは、フィオラヴァンテ・マルティネッリの当時のローマについての案内書の手稿を効果的に利用しており、ドノフリオは最近それを歴史的資料の複製とともに著者自身が撮ったオリジナルの写真を付し、『一七世紀のローマ』として出版した。☆2

ヴァティカン図書館の「書記」であったローマ出身のフィオラヴァンテ・マルティネッリ（一五九九年～一六六七年）は、二冊のローマ案内を出版している。ひとつはラテン語で一六五三年に、もうひとつはイタリア語で一六五八年に刊行されている。彼は三番目の著作を、おそらく一六六〇年から一六六三年にかけて書き、それを自筆の手稿として遺したのだが、ドノフリオはそれを先の二冊の本を参照しながら総合する形態として刊行した。彼の多大の忍耐をともなうこの仕事で肝要なのは分析的な索引であり、マルティネッリの一行一行についてその典拠が示されている。

ところで、この手稿の興味深い点は、ヴァザーリやバリオーネなどからそのままひきうつされた情報の平凡な羅列やくりかえしにではなく、マルティネッリが尊敬していたボッロミーニに自らの手稿を校閲させたという事実に求められる。ボッロミーニはそれに何百もの註記をつけたために、それら註記の中のあるものは、作品の帰属を決定するためのこのうえもなく貴重な資料となっている。たとえばパラッツォ・バルベリーニの造営に関して、ベルニーニの名に加えて、自分の名ではなく、一般的に「そのほかの者たち」（et altri）という表現を加えたことが重要である。それは、このパラッツォの造営に関してボッロミーニは自分の作品と言えるほどの仕事をしなかったということを示している。

図4－1———南から見たナヴォーナ広場の噴水群
図4－2———ベルニーニによる《四大河の噴水》とオベリスク

TRATTORIA MASTROSTEFANO

同様に、サン・ジャコモ・デッラ・カリタ聖堂のスパーダ家礼拝堂についても、制作者の欄は空白のままに残して自分の名を書きこんではいない。一方、ナヴォーナ広場の噴水群（図4‐1）について、サン・ジャコモ・デリ・スパニョーリ聖堂と向かいあう噴水は「騎士ボッロミーニの助言をまって地面に噴水がつくられた」と記されている。またナヴォーナ広場の四大河の噴水（図4‐2）について、マルティネッリは一六五八年の案内書にはベルニーニの名前しか書いていないが、この手稿では次のように述べられている。インノケンティウス一〇世は「中央の噴水を騎士ボッロミーニに注文した。彼は水を引き、尖塔を建てるということを発案した。そうして尖塔を中空の基台で飾り、そこに四つの物語を浮き彫りにさせ、世界の最も名高い四つの河で飾ることにした。これらとそのほかの装飾はヴィルジリオ・スパーダ神父に任せられたが、そののちオリンピア・パンフィーリ夫人の頼みで、これらは騎士ベルニーニに任せられた。それらは彼の設計によって現在見られるような姿に整備されたのである」。つまり、たんに噴水だけでなく、オベリスクと四つの大河をもつ広場の中央の噴水のアイデアさえも、すべてボッロミーニのものであったということになる――もちろんベルニーニはそこからアイデアを採ったものの、彼自身の独創的な方法でそのアイデアを実現したのではあるが。

これらの事柄についての解明や、モンタルト枢機卿のヴィッラについての記述（その量においてほかに類を見ない）、サピエンツァ聖堂の歴史などのほかにも、マルティネッリの案内書はその当時の趣味に関する指針として興味深い事典となっている。彼は当然ラファエッロを賞讃するが、ピエリーノ・デル・ヴァーガの装飾に魅了され、ポリドーロ・ダ・カラヴァッジョとマトゥリーノ・ダ・フィレンツェによって、家屋のファサードにフレスコで描かれたローマの歴史画に感嘆している。

マルティネッリの美の〈基準〉はきわめて俗っぽいものである。彼は絵画を、登場人物が生き生きとして描かれてさえいれば賞讃する。たとえば、パラッツォ・カンチェッレリーアのジョルジョ・ヴァザーリの描く蛇を喰う〈嫉妬〉について、この〈嫉妬〉を表わす人物像は「まるで毒で死にそうに見える」と評し、パラッツォ・リッチのポリドーロ・ダ・

カラヴァッジョの《サビニの女の略奪》(図5)については、「彼女たちを略奪したいという渇きやその欲求のみならず、哀れな女たちの逃走とその悲惨さを理解させるもの」と述べている。また彼はカヴァリエーレ・ダルピーノのフレスコ画(図6)や「パウル・ブリルのきわめて甘美な風景」(図7)、アントニオ・テンペスタの「非常に美しい戦争画」(図8)を賞讃している。

しかし、ドメニキーノについてはしぶしぶ評価し、グエルチーノの《アウロラ》(図9)、カラヴァッジョのサン・ルイージ・デイ・フランチェージ聖堂の絵《聖マタイの召命》(図10)、サンタ・マリア・デル・ポーポロ聖堂の《聖パウロの回心》(図11-1)と《ペテロの磔刑》(図11-2)、ベルニーニの《聖テレサの法悦》(図12)や《アポロンとダフネ》(図13)などについては、触れているがいっさい論評を加えていない。マルティネッリの趣味は友人ボッロミーニの場合にのみ前衛的である。彼にとってボッロミーニの作品は、ミケランジェロのそれと同様にしばしば規範から逸脱しているが、〈新しい流派〉の新しい模範であった。

一方、ミケランジェロの《最後の審判》(図14)に関しては、「学識と信仰をもって」このフレスコ画に反対したアンドレア・ジリオ・ダ・ファブリアーノの著作『画家の過ちについての……二つの対話』(*Due dialoghi... degli errori de' pittori*)を引用している。ここでもマルティネッリは未来を予見しており、彼によればこの「時代を超越した」絵画は、トレント宗教会議のあとのカトリック世界を震撼させることになるのである。

古(いにしえ)の時代の芸術家にとって彼らが活動する環境と条件は、現今の芸術家の場合よりはるかに重要性をもっていたが(各国がまだ全体主義的な体制に組みこまれていなかったことを考えていただきたい)、過去の状況を知るためにはフランシス・ハスケルの『パトロンと画家たち——バロック時代におけるイタリアの美術と社会の関係に関する研究』のような書物はきわめて啓蒙的である。☆3 それは美術批評史の書物ではなく、ある意味において画家の作品を生みだす契機をつくった人物や機構についての研究である。クローチェ主義者ならば、ただひとつ重要なことは、結局芸術家の霊

ジョヴァンニ・バッティスタ・ガレストルッツィ
ポリドーロ・ダ・カラヴァッジョの絵画（パラッツォ・リッチ）にもとづく
図5——《サビニの女の略奪》一六五四年〜六四年　銅版画
ロンドン　ヴィクトリア・アンド・アルバート博物館

カヴァリエーレ・ダルピーノ
図6——《トゥリウス・ホスティリウスのウェイイとの戦闘》一五七六年〜一六〇一年
ローマ　パラッツォ・デイ・コンセルヴァトーリ

パウル・ブリル
図7———《河に船が浮かぶ風景》一六一一年〜一二年
ローマ　パラッツォ・パッラヴィチーニ - ロスピリオージ

アントニオ・テンペスタ
図8———《戦闘の場面》一六世紀末〜 17 世紀初頭
アジャクシオ（フランス）　フェッシュ美術館

図9――グエルチーノ《アウロラ》一六二一年〜二三年
ローマ　パラッツォ・ルドヴィージ
カジーノ・デッラ・アウロラ

図10――ミケランジェロ・メリージ・ダ・カラヴァッジョ
《聖マタイの召命》一六〇〇年
ローマ　サン・ルイージ・デイ・フランチェージ聖堂

図11・1――ミケランジェロ・メリージ・ダ・カラヴァッジョ
《聖ペテロの回心》一六〇〇年
ローマ　サンタ・マリア・デル・ポポロ聖堂

図11・2――ミケランジェロ・メリージ・ダ・カラヴァッジョ
《聖ペテロの磔刑》一六〇〇年
ローマ　サンタ・マリア・デル・ポポロ聖堂

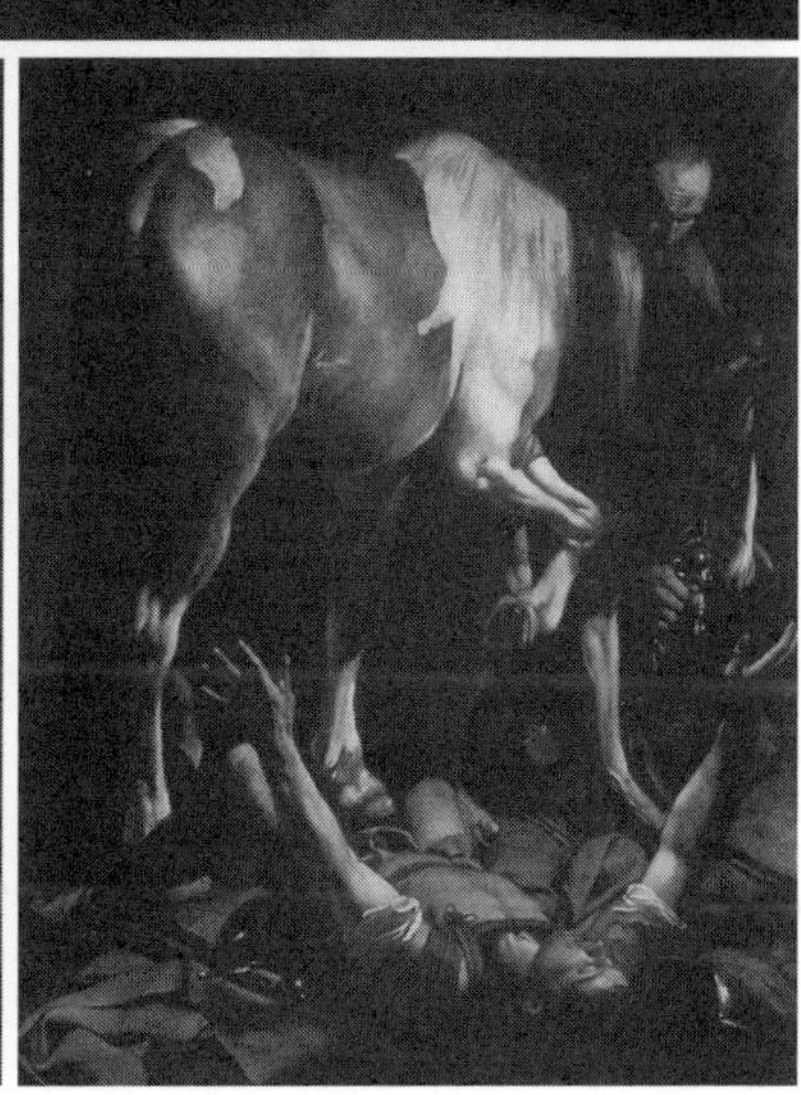

図12――ジャン・ロレンツォ・ベルニーニ
《聖テレサの法悦》一六四七年～五二年
ローマ　サンタ・マリア・デッラ・ヴィットーリア聖堂

図13――ジャン・ロレンツォ・ベルニーニ
《アポロンとダフネ》一六二二年～二五年
ローマ　ボルゲーゼ美術館

ミケランジェロ・ブオナローティ
図14——《最後の審判》一五三六年〜四一年
ヴァティカン宮　システィーナ礼拝堂

感であると語ったであろうが、それにたいしては、この種の思考は典型的なロマン主義的立場であると容易に反論できるであろう。芸術家についてこうした観念は天才についてのロマン主義的な思考にもとづいているが、昔日の芸術家はなによりもまず職人であった。

その両者の相違は必ずしも現代の芸術家の方に利するというわけではない。たしかに、現代の芸術家はもはや昔のような下僕ではない。ハスケルが述べているように、アントニオ・バルベリーニ枢機卿の邸に住んでいたアンドレア・サッキは庭師や侏儒や老乳母と同じカテゴリーに属していた。一方、現代の芸術家は自由な人間である。彼は自分の専門技術を学ぶ必要さえ感じないほど自由である。彼のただひとつの課題は自分の天賦の才に従うことである。あるいは少なくとも、自分は天才だと信じることができることであろう。ただしそう信じられるのは、(先ごろの「機械文明」[*Civiltà delle macchine*]誌一九六三年、三・四月号のアンケートが示しているように)市場の要求や画商の関心によって動かされている現代の芸術家の外的条件が、パトロンの意志や教会の組織によって決定されていた時代と実は同じものであり、しかもかつてはそれほど浅ましくなく、はるかに真剣な仕方でおこなわれていた、ということを彼が知らないかぎりにおいてである。

一六世紀および一七世紀において芸術活動の背後に働いていたこうした複雑な力関係の中にハスケルはわれわれをひきずりこむ。こうなるとわれわれは、もはや舞台の裏で起こっていることを見ずにはスペクタクルを見ることはできなくなるし、またそこで起こっていることは、スペクタクル自体と同じように魅力的なのである。ベルニーニもボッロミーニもただ詩女神(ムーサイ)たちの糸にだけ導かれていたわけではない。ベルニーニがイエズス会の思想に人間の形姿を与えたとすれば、いっそう革命的なボッロミーニはオラトリオ会の思想との共鳴を見いだしていたのである。ニコラ・プッサンの《秘蹟》(図15)のシリーズがもつ荘重さは、彼のパトロンのカッシアーノ・ダル・ポッツォの初期教会の典礼への関心によって説明することができるし、同じくプッサンの《アルカディアの牧人たち》(図16)の哀愁に富んだ悲歌は、同様に彼のパトロンのカミッロ・マッシミのメランコリーに影響されている。またチェルクオッ

図15——ニコラ・プッサン
《結婚》(《七つの秘蹟》の一枚) 一六四七年〜四八年
エディンバラ　国立スコットランド美術館

図16——ニコラ・プッサン
《アルカディアの牧人たち》 一六三七年〜三八年
パリ　ルーヴル美術館

図17——ヴィヴィアーノ・コダッツィとミケランジェロ・チェルクオッツィ
《マサニエッロの反乱》 一六四八年頃
ローマ　ガッレリーア・スパーダ

ツィが《マサニエッロの反乱》(図17)という同時代の事件を扱った例外的な作品を描いたとすれば、ハスケルのように、その背後に政治的な事情を求めるのは当然であろう。なぜならこの時代には、こうした意味の歴史画はまったく存在せず、歴史画は過去の事件ないし寓意に限定されていたからである。

チェルクオッツィの絵画は、スペイン支配時代のイタリアにおけるもっとも屈辱的なエピソードのひとつを描いたもので、フランス側について戦闘に参加したベルナルディーノ・スパーダ枢機卿によって注文された。また、もしも庶民の生活を描いた画家たちであるバンボッチャンティ派が、公的でアカデミックな絵画の敵意を受けながらも人びとのあいだに広まっていたとすれば、やはりそこにも政治的・社会的理由を求める必要があろう。下層階級はフランス人に好意を抱き、他方、スペイン人に忠実な上流階級は、手ごろな物笑いの種として庶民の粗野な生活を描かせることを好んだのである。同様な趣好は文学においても、スペインのピカレスク小説の中にすでに表現されている。

バロックのテーマ性についてのある研究(A・ピグラーの『バロック的テーマ』)は、この時代が神話、歴史、聖書の中のある種の主題に固執していたことを明らかにしている。[☆4]これらの主題は、好色な、あるいはまさに倒錯した状況に置かれた裸体画に格好な口実を提供した。たとえば、老人たちに覗き見られる〈スザンナ〉(図18)、岩にくくりつけられる裸体の〈アンドロメダ〉、半裸で死にかかっている〈クレオパトラ〉(図19)や〈ルクレツィア〉(図20)、肌を露わにした〈ロトの娘たち〉(図21)である(オランダの画家ヨアキム・A・ウテワール[一五六六―一六二八年]には、驚くほどあからさまな仕方で聖書のロリータたちの未熟な魅力を描いたこの主題の絵画がある[図22])。これらの絵画の目的は、ヴィクトリア朝時代の貴族ハートフォード侯爵が見抜いていたように、容易に見抜くことができる。彼はティツィアーノの《ペルセウスとアンドロメダ》(図23)を浴室の非常に高い場所に掛けたが、この絵画ではアンドロメダが、ティントレット作の裸体画《女奴隷の解放》(図24)と同様に、サディスティックなフェティシズムの研究者には周知のタイプの重い鎖で繋がれている。

チェルクオッツィの《水浴の女たち》(図25)の存在理由は、注文主であるキージ枢機卿の性癖の中に見いだされる。

アルテミジア・ジェンティレスキ
図 18――《スザンナと長老たち》一六四九年
ブルノ　チェコ国立モラヴィア美術館

図19——グイド・レーニ
《クレオパトラ》一六三八年
フィレンツェ　ピッティ美術館

アルテミジア・ジェンティレスキ
図 20——《ルクレツィア》一六二三年〜二五年
ミラノ　ジェローラモ・エトロ

図21――オラツィオ・ジェンティレスキ
《ロトと娘たち》一六二八年
バスク地方ビルバオ　ビルバオ美術館

図22――ヨハヒム・ウテワール
《ロトと娘たち》一六〇〇年頃
サンクト・ペテルブルク　エルミタージュ美術館

図23――ティツィアーノ・ヴェチェッリオ
《ペルセウスとアンドロメダ》一五五四年～五八年
ロンドン　ウォーレス・コレクション

ティントレット
図 24———《アリシノエの解放》一五五五年～五六年
ドレスデン　国立絵画館

ヴィヴィアーノ・コダッツィとミケランジェロ・チェルクオッツィ
図 25———《水浴の女たち》一六五三年頃
ローマ　コケッタ・コレクション

彼は、ある同時代人が書き残しているように、彼を執拗に悩ませた官能的衝動から気を紛らわせるために狩猟や宴会や会合のことばかりを考えていた人物であった。もう一人の枢機卿ピエトロ・バサドンナ（バサドンナ――女たらし――という名はまさにお誂えむきの名前である）の寝室には、女性の裸体画がところせましと飾られていた。またドイツのカトリックの君主たちは、イタリアで芸術保護（メチェナティズモ）が低調になるやいなや、聖書画という口実のもとにイタリアの画家に裸体画を注文しはじめたのである。

こうした注文主の趣好という問題はハスケルの書物の最も興味をそそる部分であるが、この書物のもっとも重要な側面は、教皇たちとヴェネツィア共和国の芸術保護政策の興隆および凋落についての全体像を描いてみせたことである。これまで部分的な研究が皆無ではなかったとしても、ハスケル以前にこの現象をあらゆる局面にわたって全体的に研究した者はいなかった。

ピエトロ・ダ・コルトーナのパラッツォ・バルベリーニの天井画（図26）のような、世俗的礼讃へといたる教皇たちの豪華さへの――ウルバヌス八世の時代にローマの芸術保護は絶頂を迎えた――欲求、教皇たちの自らの故郷出身の芸術家にたいする寵愛、国外の君主の招きを拒否した主要な芸術家たちのローマへの集中（グエルチーノとアルバーニはイギリスへ赴こうとしなかったし、ベルニーニはパリへ赴いたが、それは彼がしぶしぶ仕えていたアレクサンデル七世の外交上の卑屈さの結果であった）、これらがバロック芸術の「英雄時代」を特徴づけているのである。教皇たちの財政的な蓄えが減少し、彼らの芸術保護（パトロネージ）が弱まるにつれて、流れは方向を変え、フラ・ガルガーリオやクレスピ、ソリメーナなどの芸術家はローマにくることを拒み、そのかわりにウィーン、ポンマースフェルデン、ファドゥーツにでかけた。

それと平行して、長いあいだ過去の偉大さの夢に浸り、一族の栄光の寓意表象的（エンブレマティック）な賞讃に酔っていたヴェネツィア――ほとんど無名な将軍アントニオ・バルバロの礼讃に捧げられたサンタ・マリア・ジーリオ聖堂のファサード（図27）ほどに純粋に世俗的なファサードはなく、またティエポロが描いたルドヴィコ・レッツォーニコとファウスティナ・サヴォルニャン夫妻の御者を務める太陽の寓意画（図28）ほどに空疎なレトリックはないであろう――では、

図26——ピエトロ・ダ・コルトーナ《神の摂理》一六三三年〜三九年 ローマ パラッツォ・バルベリーニ 大広間の天井画

図27———サンタ・マリア・デル・ジーリオ聖堂のファサード　ヴェネツィア

ジャンバッティスタ・ティエポロ
図28———《婚姻のアレゴリー》一七五七年
ヴェネツィア　カ・レッツォーニコ

経済的繁栄も衰え、芸術家たちも四散するという現象が起こった。ハスケルは、彼らのロンドン、デュッセルドルフ、パリ、ポーランド、ウィーンへの移住を追跡調査して、イタリアの芸術保護の凋落の結果として起こったヨーロッパ諸国のイタリア化の現象についても詳細に研究している。

イタリアでパトロンの活動にとってかわったのは画商たち――最初はヴェネツィアのイギリス領事であったジョセフ・スミス――で、彼らはイタリアの困窮した名門貴族のコレクションを熱心に外国にもちだした。また、ベッローリ、ロードリ、メンモなどの批評家の活動は、国外にそのもっとも豊かな実りである新古典主義を広める地盤を用意したのである。さらにハスケルの著書では、地方の芸術保護者や小規模な収集家についても詳しく述べられている。その結果、サルヴァトール・ローザのパトロンであったジャンバッティスタ・リッチャルディプレのようなほとんど知られていない人物――ローザは彼への手紙で戦慄を催させる山岳や滝への前ロマン主義的な熱狂を伝えている（図29）――にも光があてられている。一七世紀と一八世紀のイタリアの収集家がその収集熱を見当ちがいの方向に向けることはめったになかった。たしかに、ヴェネツィア新古典主義の使徒であったヴェネツィア人フィリッポ・ファルセッティが、リアルト橋近くの邸宅に、古代彫刻の石膏像の一大コレクションやラファエッロとアンニーバレ・カラッチの主要作品のコピーを集めていたということを知ると、われわれは首を傾けざるをえないのではあるが。

ナポレオンが戯れにカノーヴァに向かって、「ローマの人びとは木を植えることができるのか」と尋ねたことがある。「木ですって」と彫刻家は答えた。「陛下、ローマではオベリスクを植えるのです」。実際、ローマだけでもエジプトも含めてほかのすべての都市にあるオベリスクを全部集めたよりも多くのオベリスクがある。精神分析ではオベリスクが明らかな陰茎の象徴と言われているのを聞いても、誰も騒ぎたてはしないであろう。骨董屋からオベリスクを買う客はおおむね同性愛者である。私が言いたいのは例のミニチュアのオベリスクのことである。それらはローマで、外国人向けの〈お土産（スーヴニール）〉として、しばしば高価な大理石によってつくられているが、今日でもそれらの象徴的意

図29――サルヴァトール・ローザ《アポロンとクマエのシビュラのいる景観》一六六一年 ロンドン　ウォーレス・コレクション

味のために熱心に買う人びとがいる。噴水にもまた精神分析家にとっては隠された意味がある。

エレアノール・クラークは、そのきわめて個性的な著書『ローマとヴィッラ』の噴水についての章で、そのことに気づいたという事実を明らかにしている。[☆5]

良心とロマン主義に支配され、内密の事柄にたいして口をつぐむアングロサクソン人にとって、ここローマはすべてがスキャンダラスであり、はてしない暴露と浸水である。これはわれわれの夢の辞書である。そうして、鍵となるイメージは常に水である。水はローマがわれわれに仕掛けた攻撃手段であり、それはすべてをおおい、恐怖を呼び起こす。都市の世紀に生きている外国人たちが、ローマの噴水の前でロマンティックな恍惚におちいる癖をもっていたとは、まったく奇妙なことである。……事実は、それらの噴水がさまざまな意味でこのうえなく卑猥だということである。

このように無遠慮な見方ではなく、ローマに恋した博学の人間の見地から、チェーザレ・ドノフリオ——彼はすでにローマの噴水についての基礎的な著作『ローマの噴水』を書いていた[☆6]——は、ローマのオベリスクについて一冊の著作『ローマのオベリスク』を著わした。[☆7] 彼の好奇心はエレオノール・クラークのそれとはまったく別の性格のものである。ヴァティカンのオベリスクの球体の中にはカエサルの遺灰がつまっているといったおもしろい伝説、同じオベリスクとそれを支えている四つのアストラガルからなる基台のあいだの狭間を撫でたものは誰でも罪を浄められるといった奇妙な迷信（アストラガルは、伝説ではブロンズ製のライオンであったが、現在のものは後世になってつけられ、ドノフリオがそれらを「八つの身体と八つの尾をもった、恐ろしい、いわば蜥蜴に似たもの」と書いているのは誤りではない）、カンピドリオの丘にローマの自由の象徴としてオベリスクと棕櫚の木を一緒に置くという、ドノフリオによればコー

ジャンロレンツォ・ベルニーニ
図30———《オベリスクを抱くヘラクレス》一六六五年〜六七年
ヴァティカン　ヴァティカン図書館

ラ・デ・リエンツォが考えだした奇抜な着想、あるいはベルニーニが、おそらくボマルツォの庭園の綺想(コンチェット)に影響されて考案したヘラクレスの両腕の中にオベリスクを抱かせるという着想（図30）など、ドノフリオの著作に述べられているこれらの情報は、実際この世界に比類のないローマという街がいかに歴史と神話に富んでいるかということを示している。いったいほかのいかなる都市にこれほど多くの事柄を語ることのできるモニュメントがあるというのであろうか。

さらに、ドノフリオの功績はこのような博学な情報の有能な編纂者であるにとどまらない。彼はきわめて重要な新たな貢献をなした。ヴァティカンのオベリスク（図31）は、ローマ人が建てた六つの大オベリスクと四二の小オベリスクのうち、一度も倒されることのなかった唯一のものであるが、カリグラ帝の時代には野外競技場(チルコ)の一部を構成していた。この競技場は、長いあいだ信じられていたのとは逆に南北を向いており、そのためヴァティカンのバシリカ［サン・ピエトロ大聖堂］にはこの競技場の軸にたいして平行ではなく、直交するように建立されたのである。実際、現在でも当初の地に屹立するこのオベリスクの銘文と基台は、競技場の位置を知る明確な手がかりであった。なぜなら、ほかの場合と同様に、オベリスクは競技場の長軸の方に正面を向けているからである。競技場の近くに立っている墳墓もまたかつての立地条件をうかがわせる。距離的に見て、オベリスクは競技場の中央にではなく、その半円壁の北端に聳えていたものと結論すべきであろう。

ボルゴ［サン・ピエトロ大聖堂の手前の街区］とヴァティカン地区に関して、ドノフリオは、人文主義的教皇であったニコラウス五世の計画に、すなわち実現されていれば古(いにしえ)の教皇レオ時代のヴァティカンと周辺地域にも匹敵したはずの計画に言及している。

それは古代ローマとオリエントをともに想い起こさせるような、ほとんどお伽噺にも似た過去の再現で、どこまでも続く柱廊、長くまっすぐな舗装された道路、アーチや稜保や胸壁を設けた高い城壁をもっていた。その結果、

ジョヴァンニ・バッティスタ・ピラネージ
図31 - 1——《ヴァティカンのサン・ピエトロ大聖堂と広場に立つオベリスク》
- 2——サン・ピエトロ大聖堂と広場に立つオベリスク

この区域は巨大な城塞として現われ、「そこへは、空飛ぶ鳥のほか、どのような市民も蛮人もけっして入りこむことはできなかったであろう」。

ふつう教皇たちは老年に達してから即位したので在位期間が短く、そのため多くの計画は実現されぬままに終わったが、そのことは必ずしも常に残念なこととは言えない。しかしシクストゥス五世は、教皇の地位にあった五年間（一五八五年から一五九〇年まで）に数々のオベリスクを建立し、また直線道路を開通させるなど、きわめて活動的な人物であったために、後世の人びとのあいだで「近代最初の都市計画者（ウルバニスタ）」と呼ばれるようになる。このことについてもドノフリオはきわめて注目すべき貢献をなしている。

勤勉な歴史的調査にもとづいて、ドノフリオはこの教皇の人間像をまったく新しい光のもとに照らしだした。教皇となるときを待ちつつ、フォンターナとともにローマの都市整備について想を練るモンタルト枢機卿というイメージは神話にすぎない。彼の教皇選出はまったく予想外のことであった。これまで書かれていたように、彼が純粋の古代ローマの信奉者であったというのも真実ではない。それどころか、彼はローマに遺された異教の礼拝物を忌み嫌い、プトレマイオスの七天体儀を破壊させ、クィリナーレ丘のディオスクロイ像を破壊させようとしたが、ただそれがアレクサンドロス大帝の肖像であると信じていたために大目に見た、という具合であった。

ドノフリオは、教皇が不格好な古代遺跡をとりこわそうとしたのは、修復を必要とする遺跡を修復するためであると述べている。しかし、教皇が破壊しようとしたものには、チェチリア・メテッラの墓やヤヌス神の四面門も含まれていた。彼が計画した直線道路は、七大教会への巡礼を容易にするという宗教的理由から発想されたものであったが、またそれは、教皇が現在のローマ中央駅付近に建てていた豪壮なヴィッラ・モンタルトの「利便」のためという個人的理由から考えだされたものでもあった。いずれにせよ、これらの直線道路は空地に敷かれたので、いかなる市街の破壊も改造もおこなわれることはなかった。

てすでに命じられていた計画の実施を早めたということだけである。オベリスク自体も、教皇が意図したことは、七大教会の巡礼の目印として役立つことであった。というわけで、結局のところ彼の精神構造は（グレゴリウス・マグヌスを範とする）中世的なそれであって、近代的な意味での都市計画者の精神構造とはまったく異なっていた、とドノフリオは結論している。したがって教皇の人間像は曖昧で、自分自身の「特殊な趣好」を追求しつつ間接的には公共性に貢献し、宗教的目的を抱きつつ間接的には美的目的にも奉仕した。

しかし、富裕で権力ある家門を創立したいというシクストゥス五世の意志そのものはけっして曖昧ではなく、それは、少なくともピウス六世にいたるまでのすべての教皇たちと同様であった。近代的メトロポリスとしてローマの発展が遅れたのは、神と自分自身の栄光を推し進めようとした教皇たちが目まぐるしく交替したことに起因しているのではないかという疑問が生じる。いずれにせよ、ローマのオベリスク群の再発見は、シクストゥス五世の偉大な事業であった。オベリスクはピウス六世以前にはほとんど残っていなかったが、彼の在位中に新しく三つのオベリスクが建立され、そればかりか彼の時代にはローマの道路網にオベリスクによって結節点をつけるという壮大な計画が立てられた。

建築家ジョヴァンニ・アンティノーリは、クィリナーレ（図32）とサンタ・トリニタ・デイ・モンティ聖堂（図33）にオベリスクを建てることによって、サン・カルロ・アッレ・クアットロ・フォンターネ聖堂から三つのオベリスクが透視画法的に見通せるように目論み、さらに修道院長カンチェリエーリはポルタ・ピアの塔の上にバルベリーニ家の小さいオベリスクを建てることによって四番目のそれを加えたいと考えたらしい（これはのちにピンチョの丘に建てられた）。これら過去の偉大なオベリスクを前にすると、われわれの時代に建てられた偽オベリスク、マルコーニとアクスムの二つの石碑やムッソリーニの柱碑はひどく貧弱に見える。しかし、ローマが世界に範を示したこのタイプの街路装飾の発展の全体的見取図を完成させるために、ドノフリオはこれらについても言及している。

図32——クィリナーレ宮殿の前に立つオベリスク　ローマ

図33——サンタ・トリニタ・デイ・モンティ聖堂の前に立つオベリスク　ローマ

ローマほどパラッツォの多い都市はおそらくほかにはないであろう。ヴェネツィアにもウィーンにもプラハにもパラッツォはたくさんあるが、しかしひとつの街区全部を占めるようなパラッツォはない。一七九八年からペルシエとフォンテーヌはディドーの版画による『ローマにおける近代のパラッツォ、邸宅、その他の建築』(*Palais, maisons et autres édifices modernes dessinés à Rome*)と題する典雅な書物を出版し、一九世紀の前半にはルタルイユがローマのパラッツォについての記念碑的な四巻の書物を著わした。ベルニーニのパラッツォ・オデスカルキのファサードは、ウィーンのパラッツォ・リヒテンシュタインの作者であるマルティネッリを通じて、北ヨーロッパのバロック式邸館のモデルとなった。またパラッツォ・ファルネーゼといえば、世界中でパラッツォの代名詞として通用している。

かつて古代ローマを特徴づけていた事象――パラス女神の聖なる丘の上にある皇帝たちの宮殿――を近世において反復しようとする動機は、スキャンダル以外のなにものでもなかった。それはちょうど、ウェスウィウス山の噴火というカタストロフが――ゲーテが述べたように――近代人にヘルクラネウムやポンペイのような古代都市の眺望を楽しませる原因になったのと同様である。ヴィンチェンツォ・ゴルツィオが著したみごとな著作『ルネサンスから新古典主義までのローマのパラッツォ』の序言で、カルロ・ガラッシ・パルッツィは次のように述べている。[☆8]

(親族や一族郎党にたいする)閥族主義(ネポティズモ)は常に存在したし、今後も常に存在するであろう。教皇たちが、いつの世にもそうであり今後もそうであるように、ある教皇の多種多様な事業の個々の部門を統轄しようとする個人同士(親族であるにせよそうでないにせよ)が結びつこうとするかぎり、それは存在するであろう。

しかしローマでは、ほかの都市とはちがって、それがすさまじい弊害を生むとともに、星の数ほどのパラッツォを生みだすという豊饒な結果をも招いた。君主が長年にわたって統治する場合には――七〇年近く王座にあったルイ一四世や治世が五〇年に及んだエリザベス一世のように――国民自身がその統治にうんざりしてしまうが、教皇に関するかぎり若くして統治の座につくことはけっしてなかった。

教皇在位の年月はごく短く、ときにはその老齢のために丸一年に満たないこともあった。そのため、もしも彼らが一族の権力を増大させたいと思うなら、それを素早くやらねばならなかった。過去数世紀においては権力を誇示する象徴は豪奢なパラッツォにほかならなかったから、ルネサンスから一八世紀末までの教皇たちは彼らの一門のための大パラッツォの造営に腐心した。天上の恩恵に浴することは善きことであったが、しかし彼らは地上の恩恵から着手したのである。一六世紀初頭から一八世紀末まで、フランスは一一人の王を、イギリスは一三人の王をもったが、ローマは実に三六人の教皇をもったのである。

ゴルツィオの示した順序に従って、この種のローマの大パラッツォの一覧を眺めてみよう。

まずパラッツォ・アルバーニ、のちのパラッツォ・デル・ドラーゴ。アルバーニ家はすでにあったパラッツォを増築したが、しかしそのヴィッラは、一七五六年から一七六一年にかけて、ヴィンケルマンのパトロンであった名高いアレッサンドロ・アルバーニ枢機卿によって建造された。

そしてクレメンス一一世（在位一七〇〇～二一年）の財産の源泉となるパラッツォ。このパラッツォ・アルティエーリは、教皇クレメンス一〇世（在位一六七〇～七六年）ことエミリオ・アルティエーリによって、甥として入籍されたアルベルトーニ家のパルッツォ・パルッツィ枢機卿のために建てられた。

一六三三年に完成したパラッツォ・バルベリーニは、バルベリーニ家出身のウルバヌス八世（在位一六二三～四四年）と「これは野蛮人（バルバリ）によりて建てられしものにあらず」（教皇自身が戯れにつくった）というモットーの想い出に結びついている。

パラッツォ・ボルゲーゼとヴィッラ・ボルゲーゼはボルゲーゼ家出身のパウルス五世（在位一六〇五～二一年）の建築家によって建てられた。

教皇一門による大パラッツォの最後の例であるパラッツォ・ブラスキは、ブラスキ家出身のピウス六世（在位一七七五〜九九年）によって甥のルイージ・ブラスキ・オネスティのために建造された。

パラッツォ・カエターニは、ボニファティウス八世（本名ベデット・カエターニ）によって教皇の列に加わった一族によって購入された。

パラッツォ・キージは、かつてアルドブランディーニ家（在位一五九二年〜一六〇五年のクレメンス八世の一族）の所有であり、一六五九年に教皇アレクサンデル七世（在位一六五五年〜六七年）の兄弟であるドン・マリオ・キージと甥（もと僧侶）のアゴスティーノ・キージによって買いとられた。

パラッツォ・コロンナは、ローヴェレ家出身のシクストゥス四世（在位一四七一年〜八四年）の甥ピエトロ・リアリオによって着工され、ジュリアーノ・デッラ・ローヴェレこと教皇ユリウス二世（在位一五〇三年〜一三年）によって、その姉妹の娘の一人と結婚したマルカントニオ・コロンナ（在位一四一七年〜三一年、教皇マルティヌス五世の一族）に贈られたものである。

パラッツォ・コルシーニは、もとのパラッツォ・リアーリオで、シクストゥス四世の甥であるネーリ・コルシーニ枢機卿が購入し、のちにクレメンス一二世（本名ロレンツォ・コルシーニ、在位一七三〇年〜四〇年）のときに増築された。

コルソ通りのパラッツォ・ドーリア・パンフィーリとナヴォーナ広場のヴィッラ・ドーリア・パンフィーリの二つは、インノケンティウス一〇世（本名ジョヴァンニ・バッティスタ・パンフィーリ、在位一六四四年〜五五年）の名と関係している。

パラッツォ・ファルネーゼ（図34）は、パウルス三世（本名アレッサンドロ・ファルネーゼ、在位一五三四年〜六〇年）の名と関係している。

パラッツォ・ルドヴィージ（のちのパラッツォ・モンテチトーリオ）は、インノケンティウス一〇世によって彼の姪でルドヴィージ公と結婚したコスタンツァ・パンフィーリのために着工された。ヴィッラ・ルドヴィージの「パラッツォ・グランデ」（今日では近代的な建築の中で〈生きた墓〉と化している）は、グレゴリウス一五世（本名アレッサンドロ・ルドヴィージ、在位一六二一年〜二三年）を輩出した一族のものであった。

ジョヴァンニ・バッティスタ・ピラネージ
図34――《パラッツォ・ファルネーゼ》エッチング
一七四八年

アンドレア・スペッキ
図35――《パラッツォ・オデスカルキ》銅版画
一六九九年

メディチ家は、すくなくともほかの教皇一族と同様なやり方では、いかなる特定のパラッツォともかかわりがないが、ただヴィッラ・マダーマだけはレオ一〇世の従兄弟であった、クレメンス七世になる以前のジュリアーノ・デ・メディチによって建立された。

かつてのパラッツォ・キージであるパラッツォ・オデスカルキ（図35）には、一六五七年に教皇アレクサンデル七世の弟のドン・マーリオと甥のアゴスティーノ・キージが住んでいた。

パラッツォ・ロスピリオージ・パッラヴィチーニは、パウルス五世の甥シピオーネ・ボルゲーゼ・カッファレッリ枢機卿によって着工された、マッツァリーノ枢機卿の親族であるマンチーニ家のパラッツォを、パッラヴィチーニ家が購入したものである。

こういうわけで、もし教皇たちやその家族が地上の栄光を誇示しようとして、パラッツォ・コロンナやパラッツォ・ボルゲーゼやパラッツォ・バルベリーニのように直接に、あるいはパラッツォ・アルティエーリのように間接的に、その天井にクレメンス一〇世などアルティエーリ一族の礼讃を歌いあげる大フレスコ画《寛容（クレメンツァ）の勝利》［図36］を描かせたのならば、一方で彼らの私室の装飾の主題はそれより世俗性が少なかったと言えるのであろうか。ジョヴァン・パオロ・ロマッツォはその『絵画芸術論』（*Trattato dell'arte della pittura*, 1585）でそれぞれのジャンルの絵画にふさわしい場所についてこう述べている。たとえば王や君主の肖像は王宮にしか架けてはならぬものであり、戦争画はフェンシングの部屋に、静物画は台所に配すべきものである、と。

こうした規則はナポレオンの時代まで生きつづけ、この時代にはその家の主人の精神に装飾を調和させようとする傾向が見られ、たとえば狩の好きな人物の家を狩猟の道具で、軍人の家をナイトテーブルにいたるまで武器や剣や翼のある勝利の女神で満たすことによってその目的を遂げたのである。しかしこのような規則は、わずかの例外を除けば、これらの教皇の一族のパラッツォでほとんど死語同然であった。たとえば、放縦な絵画で飾られたヴァティカン

図36——カルロ・マラッティ
《寛容（クレメンツァ）の勝利》一六七三年〜七五年
ローマ　パラッツォ・アルティエーリ

図37──アンニーバレ・カラッチ
《バッコスの凱旋》一五九七年開始
ローマ　パラッツォ・ファルネーゼ　ガッレリーアの天井画

宮殿の中のビッビエーナ枢機卿の小部屋を考えてみるならば、この聖なる城壁の外の建物では彼がいっそう放将であったことが十分予想されるのである。

パラッツォ・ファルネーゼのアンニーバレ・カラッチによる《〈美徳〉と〈悪徳〉の戦い》や《バッコスの凱旋》(図37)など、天上の愛と地上の愛の戦いと和解のテーマのように、聖書の話や信仰や道徳の寓意を描いた絵画がなかったわけではない。しかし圧倒的に多かったのは、古代ローマの歴史や『アエネイス』、また『変身物語』から題材を採り、人文主義的に色づけされた、英雄的かつエロティックな官能的なテーマであった。サルヴァトール・ローザは絵画についての諷刺詩でこう書いている、「淫らなカラッチやティツィアーノたちが/騒々しい人物たちで汚した、/キリスト教の君主らのパラッツォを」。

かつてラヌッチョ枢機卿が住んでいたパラッツォ・ファルネーゼに、ダニエーレ・ダ・ヴォルテッラはバッコスの物語、すなわち侍女バッカンテによって身体を八つ裂きにされるテーバイの王ペンテウスの物語とバッコスの凱旋を描いた。こうしたテーマを望んだのは、ヴァザーリによれば枢機卿アレッサンドロ・ファルネーゼである。カラッチ兄弟が描いた名高いパラッツォ・ファルネーゼのガッレリーアの中心的主題は世界における愛の勝利であるが、その中では世俗的な愛が圧倒的な部分を占めている。

パラッツォ・ロスピリオージ・パッラヴィチーニではパッシニャーノが枢機卿シピオーネ・ボルゲーゼのためにアルミーダの恋物語(図38)を描いた。同じパラッツォにジョヴァンニ・ダ・サン・ジョヴァンニは三つの略奪、すなわちアンフィトリテとエウロペとプロセルピナの三つの略奪(図39-1・2・3)を描いている。略奪は一七世紀のお気に入りのテーマであった。枢機卿フラヴィオ・キージは、サンティ・アポストリ広場にある彼のパラッツォ——現在のパラッツォ・オデスカルキ——の寝室に、眠るエンデュミオンの裸体をじっと眺めるディアナを表わす卵形の絵画を描かせた。これはジョヴァンニ・バッティスタ・ガウッリの作で、現在パラッツォ・キージの「黄金の間(サローネ・ドーロ)」にある絵画であろうと思われる。

ドメニコ・クレスティ・ダ・パッシニャーノ
図38——《リナルドとアルミーダの戦い》一六一四年〜一五年
ローマ　パラッツォ・ロスピリオージ・パッラヴィチーノ

ジョヴァンニ・ダ・サン・ジョヴァンニ
図39 - 1——《アンフィトリテを掠うネプトゥヌス》一六二七年
図39 - 2——《エウロペを掠うユピテル》一六二七年
図39 - 3——《プロセルピナを掠うプルート》一六二七年
ローマ　パラッツォ・ロスピリオージ・パッラヴィチーニ

ピエトロ・ダ・コルトーナ
図 40———《アイネイアスの物語》一六五一年～五四年
ローマ　パラッツォ・ドーリア・パンフィーリ

グエルチーノ
図 41———《アウロラ》一六二一年
ローマ　ヴィッラ・ルドヴィージ

図42———グイド・レーニ
《アウロラ》一六一四年
ローマ　パラッツォ・ロスピリオージ・パッラヴィチーニ

この大広間は一七六五年から六七年にかけて建築家ジョン・スターンの指揮によって、シジスモンド・キージとマリア・フラミニア・オデスカルキの結婚のさいに建造されたもので、そこにはさまざまに戯れるいくつもの愛の神を描いたカメオ形の絵画が飾られている。ディアナとエンデュミオンの愛といったエロティックな人物表現が新婚の部屋に適していたとしても、どうしてそれが教会の高位聖職者の部屋にふさわしいのであろうか。真下から見上げる天井にはたくさんの裸の脚がからみあう様子が描かれており、その天井を眺めている枢機卿たちの頭にはいかなる聖なる思考が去来したと言うのであろうか。このタイプの天井画はのちにイギリスにも広がり、ヴェッリオやラゲールが模倣することになるのである。

スキャンダル、スキャンダル――ピューリタンたちはわめきたてた。閥族主義（ネポティズモ）、スキャンダラスな猥褻な人文主義、バビロンの淫売婦の行列。しかし、時は彼らの過ちを明らかにした。神話はさまざまに変化するが、しかし美は残る。ピエトロ・ダ・コルトーナやカラッチ兄弟の天井画はいまも多かれ少なかれわれわれを楽しませる。パラッツォ・ファルネーゼの天井画のさまざまな変遷についてゴルツィオは、このパラッツォ建築の錯綜した歴史に注意深く目を配りながら、アルカディアの素朴さの探求を介して、さらにはアドルフォ・ヴェントゥーリが指摘したように――彼においては否定的な価値しかなかったが――古代の範にもとづいて人体に彫刻的効果を与えるという試みを介してこれらの壁画が新古典主義に結びつく、という正しい解釈を示している。しかしこれらの作品も、パラッツォ・バルベリーニとナヴォーナ広場に面するパラッツォ・ドーリア・パンフィーリのピエトロ・ダ・コルトーナの天井画（図40）も、グエルチーノやグイド・レーニの《アウロラ》（図41・図42）も、訪れる人びとの目を、天上の栄光へではないにせよ、少なくともその下の天井に広がる輝かしい天へと惹きつけつづけるであろう。

（一九六三年〔若桑みどり＋新保淳乃＋伊藤博明訳〕）

# エピローグ　一七世紀の文学と美術の平行性

二〇世紀イタリアが生んだ、傑出した文学・美術批評家マリオ・プラーツ（一八八九年〜一九八二年）の略歴と主要な著作については、既刊の『官能の庭I　マニエーラ・イタリアーナ　ルネサンス・二人の先駆者・マニエリスム』の「エピローグ」に記したので、ここでは本書『ベルニーニの天啓――一七世紀の芸術』に含まれた六篇の論考が執筆されたころの彼をめぐる情況に触れながら、各論考の特徴について紹介しよう。

プラーツはローマ大学法学部を一九一八年に卒業後、フィレンツェ大学文学部に学んで、ダヌンツィオの言語に関する論文を提出した。そののち彼の関心はイギリス文学に転じ、一九二三年の二月に、外務省の奨学金を得てイギリスに渡った。ロンドンで彼の相談に乗ったのは、知己の作家ヴァーノン・リー（一八五六年〜一九三五年）である。彼はブリティッシュ・ライブラリーに通って研究を進めていたが、同年の末にリヴァプール大学のイタリア語講座にポストを得て、それ以来八年間、同大学で教鞭をとった。

プラーツの最初の著作は、一九二五年にフィレンツェで刊行された『イギリスにおける一七世紀主義とマリーノ主義――ジョン・ダンとリチャード・クラショー』である。ダンとクラショーというイギリスの特異な「形而上派詩人」を汎ヨーロッパ的な文学運動の中でとらえようとした著作は、イタリア語で書かれたにもかかわらず大きな反響を呼んだ。T・S・エリオットは一九二一年に「形而上派詩人」と「アンドリュー・マーヴェル」という二つの論考を発表していたが、『タイムズ文芸付録』（一九二五年一一月一七日号）においてきわめて好意的な書評を掲載している。この著作は、「外国の研究者たちの批評と研究があらゆる文学にもたらしうる最大の恩恵の記録である」。

一九二七年には「チョーサーと一四世紀の偉大なイタリア作家たち」、その翌年には『マキャヴェッリとエリザベス朝の人々』がともに英語で発表され、イタリア文化と英国文化の関係は、そののちのプラーツの研究の重要テーマとなる。このような学問的営為の線上に、本書所載の「ジョン・ダンとその時代の詩」（一九三一年）は執筆された。そこでは、ダンと同時代のイギリスの文学者たちとの共通性と差異が豊かな作例を踏まえながら、きわめて精妙に論じられている。その議論の射程はシドニーやドレイトンにとどまらず、イタリアのパンフィーロ・サッソ、フランスのロンサールにまでおよび、ダンのペトラルカ主義への両義的な態度が示される。

そして、驚くべきことに、最後にダンの抒情詩とミケランジェロのソネットが霊感において類似していることが説かれ、そのリアリズムとプラトン主義の混淆、美と宗教への苦悩に満ちた熱情、才智の演劇的な特質、罪と死への恐れ、そして神の怒りへの恐ろしい結末を描く能力において、「ダンはおそらく、ほかのどの芸術家よりもミケランジェロに近かった」と論考は結ばれる。

時期は前後するが、前年の一九三〇年には、のちに主著とみなされる『ロマン主義文学における肉体と死と悪魔』という、画期的な比較文学的研究書がイタリアで刊行される。この著作は一九三三年に、英語版がオクスフォード大学から『ロマン主義的苦悩』のタイトルで出版され、英語圏にプラーツの名を知らしめた。一九三四年には、これも代表作のひとつに数えられる、インプレーサとエンブレムという象徴的イメジャリーに関する研究書『綺想主義研究』（伊藤博明訳／ありな書房）が上梓されており、この時代のプラーツの関心の広さと多産性には瞠目させられる。この著作もまた一九四七年に英語による増補改訂版『一七世紀イメジャリー研究』がロンドン大学ウォーバーグ研究所から刊行され、世界的に知られるようになった。

プラーツは一九三四年にローマに戻って、ローマ大学文学部で英文学の教授となり、七〇歳の定年退職までその職を務めた。一九三七年には大部の『英文学史』を刊行し、それはイタリアにおける英文学史のスタンダードとなり、一九六〇年まで版をいくつも重ねた。翌年の三八年に発表されたのが、本書所載の「ミルトンとプッサン」であり、イタリア語版と同時に、英語版がハーバード・グリアソンへの献呈論文集『一七世紀研究』に収められている。グリアソンは、ジョン・ダンの詩集の刊行（一九一二年）と『一七世紀の形而上的抒情詩と詩文』というアンソロジーの編纂（一九二一年）を果たした先駆的研究者で、プラーツの『イギリスにおける一七世紀主義とマリーノ主義』については、「事実上、これまでヨーロッパの人々が知らなかった二人のイギリスの詩人についての適切で、きわめて実証的な研究」と評価していた（『レヴュー・オヴ・イングリッシュ・スタディーズ』第2巻8号）。

「ミルトンとプッサン」は、そののちのプラーツの批評的展開を考えるうえで重要な論考である。プラーツによれば、若きミルトンの詩が帯びていた複雑な感覚性から、円熟期の霊感にみられる聴覚偏重性への展開は、同時代のフランス絵画、とりわけニコラ・プッサンの絵画作品において強調される素描の優位と平行関係にある。もちろんプラーツは、古来より唱えられてきた「姉妹芸術論」、すなわち作家や芸術家どうしを比較する方法が「永らく信頼を失っていた」ことは理解している。しかし彼によれば、この方法は芸術家がまったく異なる派に属する場合は別にして、同じ歴史的な文脈に属する芸術家たちに対しては有効である。実際にプラーツがこの論考でおこなっている、イタリアの詩人や画家への言及を多数含む流麗な叙述には息を飲まざるをえない。そしてこの論考は、プラーツのもうひとつの代表作である、一九七〇年刊行の『ムネモシュネ――文学と視覚芸術との間の平行現象』（高山宏訳／ありな書房）へつながっていくのである。

プラーツは一九四〇年代、一九五〇年代と『イル・テンポ』や『ラ・スタンパ』という新聞や種々の雑誌に、書評という枠を借りながら独自の見解を披瀝し続ける。その範囲は広義の文学にとどまらず、絵画や彫刻も含めた芸術一般におよび、時代的範囲もプラーツの同時代までが批評の対象となった。本書の所収の「ベルニーニの天啓」と「ペーテル・パウル・ルーベンス」はともに一五五五年の『イル・テンポ』紙に掲載されたものであり、「シェイクスピアのイタリア」は英語による初出が前年の五四年に『シェイクスピア・サーヴェイ』誌に掲載されている。

「ベルニーニの天啓」はルドルフ・ウィットコウアーの『ジャン・ロレンツォ・ベルニーニ』（一九五五年）についての、また「ペーテル・パウル・ルーベンス」はレオ・ファン・ピュイフェルデの『ルーベンス』についての書評の形式をとりながら、これらバロック時代の巨匠の作品群を独自の視点から再評価する論考である。これらに対して「シェイクスピアのイタリア」は、シェイクスピアの『ヴェニスの商人』を始めとする、イタリアを舞台とした戯曲をめぐって、シェイクスピアが実際にイタリアを訪問したことがあると主張するさまざまな研究を実証的に批判し、シェイクスピアのイタリアに関する知識の源泉のひとつをジョン・フローリオに求めている。

これらの芸術家たちは、各々のジャンルで独自の世界を創出した、いわば屹立した存在であると普通はみなされるであろう。しかしプラーツは、これらの芸術家たちの背後に、汎ヨーロッパ的な規模での文化的な環境（milieu）や時代精神（Zeitgeist）を見だしながら、三人の中に潜んでいる共通性を指摘している。

> 炯眼の持ち主ならば、バロックの偉大な天才たちの作品を見て必ずや自然の力に驚嘆するであろう。ただ自然のみが、力業やトリックを使ったという印象を与えずに、事物に、それぞれに固有の限界を超えたものを表現させることができる。シェイクスピアは言葉で、ルーベンスは色彩で、ベルニーニは大理石で、不可能を、かつてだれしもが可能であるなどと思ったことのない不可能を可能にすることができたのである。

この言葉は論考「ベルニーニの天啓」に見られるものである。プラーツによれば、ベルニーニは「創造を誘う天啓によって自然に順応していた」が、そのことは彼が最初にマニエリスムのアカデミーから影響を受け、続いて古典古代に典拠を求めることを妨げはしなかった。ベルニーニ自身は自らをギリシア人の真の後継者にして模倣者であることを自認していたが、彼の諸作品からその典拠が浮かぶことはない。ここにおいてまた、三人の芸術家の類比が語られる。

シェイクスピアとルーベンスというバロックの別の二人の巨匠のように、ベルニーニは源泉をすみずみまで咀嚼しその痕跡を認識不可能なものにしてしまった。こうして自然はそれ固有の作用を加えることによって、あるものを豊穣で奇妙なものへと変容させる。「両の目は今は真珠」とエアリエルが歌ったように［シェイクスピア『テンペスト』第一幕第二場］。

論考「ペーテル・パウル・ルーベンス」においても、何度も画家とシェイクスピアが類比して語られている。プラーツはルーベンスの諸作品の中に、コンスタブル、ルノワール、ドラクロワ、ヴァトーらの先駆的表現を見いだし、彼こそが後代の多彩な画家たちに霊感を吹きこんだ「絵画の全歴史に輝くひとりの天才であったのではないか」と自問する。そして、文学史においてもルーベンスに比較しうる「ひとりの天才」、ほかならぬシェイクスピアを見だすことができる、と続ける。「両者ともイタリアの影響を受け、その時代の地中海芸術が発した光輝を北方に広めたのである」。

さらにプラーツは、二人の天才がわれわれに与える強い影響として「ある根本的な晴朗さ」を挙げる。この晴朗さは、混乱と暴力に満ちた世界の、愚劣なものや常軌を逸しかねないものを変容させる力を有し、生のすべての局面に光をあてる人間的共感をさしだす。「そこから彼らの創造の普遍性が、人間がおのずともつ限界を超越した人間的類型の広がりが生みだされる」。こうして、ルーベンスの描いた普遍的性格をもつ人物がシェイクスピアの後期の作品——『冬物語』、『シンベリン』、『テンペスト』——の登場人物と比較される。

この両天才の「人間的類型の広がり」が、論考「シェイクスピアのイタリア」のひとつの大きなテーマである。エリザベス朝に花開いたイタリアを舞台とした多くの煽情的な劇作品は、ヴァーノン・リーの言葉を借りれば、「逃亡を防ぐための格子がついた、薄暗いパラッツォ、足の歩みがだす音を和らげる絨毯、突然開く落とし穴、刺客の隠れ場所に適した綴織り、毒を盛った花冠」を背景に、恐ろしい犯罪と裏切りと復讐が渦巻く「スリラー」であった。たしかにシェイクスピアもそのような事件を自らの劇作品の中で描くが、ほかの作家とはまったく異なる雰囲気をたたえている。

シェイクスピアは『ヴェローナの二紳士』から『テンペスト』までしばしば、舞台上にイタリア人を登場させたが、ほかの劇作家たちのように、道徳的な怪物性という性格を与えてはいない。むしろ、シェイクスピアの描くイタリアは、カスティリオーネとアリオストのような牧歌的な世界である。また『ヴェニスの商人』にみなぎるヴェネツィアの郷土色は際立っている。しかし、これらのことからシェイクスピアがイタリアを訪ねたことがあると推測することはできない。登場人物はとりわけヴェネツィア的というわけではない。

「彼らは、言葉のもっとも広い意味で人間という被造物であるがゆえに、結局環境に適合した者と見えるのである」。このような普遍的なタイプを創出しえた点に、ルーベンスと共通するシェイクスピアの天才を、プラーツは見てとるのである。

とはいえ、芸術家たちのあいだの類似性や平行性、また「人間的類型の広がり」を明らかにしようとするプラーツの議論の歩みはけっして明解とは言えない。論述の最中に、たたみかけるように現われる（読者には未知のことが少なくない）著作家からの引用と、数多くの造形芸術への参照は、しばしばわれわれを当惑させ、考えこませる。しかし、もとより堪能すべきなのは、実証と創意が綯い交ぜになった「読み」を展開する、批評家プラーツの目眩くような「蛇状」（serpetinata）の議論につきあう行程それ自体なのであろう。なお、最後の論考「逆光に見る一七世紀のローマ」は時代的に異なる三つの書評を組みあわせたものだが、ここでは文字どおり、バロック時代のローマの街を夢遊病者のように経めぐることになる。

本書に収められた論考の初出（英語版およびイタリア語版）は以下のとおりである。翻訳の底本はすべてイタリア語版である。

「シェイクスピアのイタリア」（"Shakespeare's Italy," *Shakespeare Survey*, 7 (1954), pp.95-106; "L'Italia di Shakespeare," in Praz, *Machiavelli in Inghilterra ed altri Saggi sui Rapporti Anglo-Italiani. Seconda edizione ampliata*, Firenze: Sansoni, 1962, pp.173-193.）

「ジョン・ダンとその時代の詩」（"John Donne's Relation to the Poetry of this Time," in *Garland for John Donne, 1631-1931*, ed. by Theodore Spencer, Cambridge, Mass.: Harvard University, 1931, pp.51-72; "John Donne e la poesia del suo tempo," in Praz, *Machiavelli in Inghilterra ed altri saggi*, Roma: Tumminelli, 1942.）

「ベルニーニの天啓」（"L'estro del Bernini," *Il Tempo*, 20 novembre 1955.）

「ペーテル・パウル・ルーベンス」（"Rubens," *Il Tempo*, 2 giugno 1955.）

「ミルトンとプッサン」（"Milton and Poussin," in *Seventeenth Century Studies, presented to Sir Herbert Grieson*, Oxford: Clarendon Press, 1938, pp.192-210; "Milton e Poussin alla scuola dell'Italia," *Romana*, gennaio-febbraio, 1938, pp.30-53.）

「逆光に見る一七世紀のローマ」（"Roma nel Seicento controluce," Riprende e rielabora vari saggi: "Pittori e mecenati," *Il Tempo*, 29 gennaio 1936; "Roma nel Seicento," *Il Tempo*, 27 novembre 1969; "Palazzi papali," *Il Tempo*, 14 novembre 1971.）

邦語版『官能の庭――マニエリスム・エンブレム・バロック』は一九九二年二月に、若桑みどり他訳で刊行された。本書はその第四部「一七世紀の芸術」をもとに、ほぼ半分の論考をさしかえ新しい企図にもとづき刊行するものであり、既訳についても訳者による検討を加えている。ただし、若桑氏と上村氏は故人となられているので、両者による翻訳については伊藤と新保が確認修正したことをお断わりしておきたい。

二〇二二年三月　訳者を代表して

伊藤博明　識

# 註

シェイクスピアのイタリア

☆1――Mario Praz, "Machiavelli e gl'inglesi dell'epoca elisabattiana," in Idem, *Machiavelli in Inghilterra*, Firenze, Sansoni, 1962, p.133.

☆2――ランバンは、『終わりよければすべてよし』（第四幕第三場一六五行以下）でパローレスが挙げる隊長たちの名前を、「リーグ」［カトリック同盟］に属する歴史的人物の名前に同定しようとすることで、その邪な才智を示した。彼によれば、グラティアイ（Gratii）は「好意と愛想」を連想させ、たしかに、アンリ三世のお気に入りの名前にちがいない。ベンティアイ（Bentii）、すなわち「曲がった者」（le tordu）はたしかに、サヴォア公シャルル・エマニュエルである。これら二人の名前がフィレンツェの一族のグラッツィ（Grazzi）とベンチ（Benci）と類似した綴りであるという、より明白な説明は彼の頭には浮かばなかった。そして、彼によるチトファー（Chitopher）という謎の人物の解明は、彼の方法の好例となっている。すなわち、ブジャージョ公アンリは、イエス・キリストを偽装した者として、アンリ三世の前に登場する。「主の『トゥニク』（tunique）の上着は、兵士たちを見分けるものである。それは、福音書（『ヨハネによる福音書』第二九章二三節）のギリシア語テクストの『キトン』（Chitôn）である」。彼は「キトン」を着ている。それゆえ彼はチトファーである。もう一人の名前、ギルシャン（Guiltian）は「ギシャン」（Guisian）の地口であろう。「『グイーズ』（Guise）と『犯罪』（guilt）［サン・バルテルミーの虐殺への暗示］の近似は偶然ではない」。ランバンの邪な才智は、レイモン・ルーセルというシュルレアリスムの先駆者の『私はいかにしてある種の本を書いたのか』（*Comment j'ai écrit certains de mes livres*）を想い起こさせる。

☆3――ランバンは、マリー・G・スティーグマンの『ビアンカ・カッペッロ』（*Bianca Cappello*, London, 1913）、「われわれが多くの情報を受けとった啓蒙書」を読んだのちに、「ビアンカを襲った」「いくつもの突然の死」についての陰気な絵を描いた。これらの死の中で、フランチェスコの妻、ハプスブルク家のジョヴァンナの死は、「定められたときに首を折った」ものであった。しかし、もし彼がマリー・スティーグマンの本のような「啓蒙書」に頼るかわりに、ガエターノ・

ピエラッチーニの『カファッジョーロのメディチ家の一族』（*La stirpe de' Medici di Cafaggiolo*, 2a ed., Firenze, 1947）を参照していたならば、大公夫人は出産時に亡くなったことがわかったであろう。「そのとき子宮には子どもがいた。そして子宮の〈首〉が割かれた」（同時代の記録）。また彼は、彼が受け入れていた伝説に反して、フランチェスコとビアンカは、フランチェスコの弟である枢機卿フェルディナンドによって毒を盛られたのではなく、マラリア熱によって死亡した、ということを見いだしたであろう。さらに彼は、フランチェスコはプロスペローにモデルの可能性を提供するどころか、邪悪な君主で、色欲の権化で、下品な作法を意に介せず、怠惰で、飲食に耽溺し、「徳を好むことはほとんどなく、よき才智を示すこともまったくない」（同時代のヴェネツィアの報告）。

ランバンは、『テンペスト』が「第一に、演劇作品であり、すばらしい幻想であることを、われわれは忘れてはならない。それは歴史的なモノグラフでない」ことを理解していたと思われる。しかし、劇作品における幻想的な部分のいずれであっても、ランバンの想像の飛翔の大胆さにほとんど太刀打ちはできない。シェイクスピアは大胆にも、「雲に先端が接する塔」を、「豪奢な邸宅（パラッツォ）」を、「荘厳な寺院」などを描いたが、より大胆なのはランバンで、彼はその章句（第四幕一場一五二行）に、フランチェスコが自らの別荘（ヴィッレ）から享受したフィレンツェの光景への示唆を見てとったのである。

☆4——以下を見よ。Valentina Capocci, *Genio e mestiere, Shakespeare e la commedia dell'arte*, Bari, Laterza, 1950, p.56 sgg.

☆5——O.J. Cambell, "*Love's Labour's Lost* Re-studied e *The Two Gentlemen of Verona* and Italian Comedy," in *Stuies in Shakespeare, Milton and Donne by Members of the English Department of the University of Michigan*, New York, Macmillan, 1925. 以下も見よ。René Pruvost, "*The Two Gentlemen of Verona, Twelfth Night* at Gl'Ingannati," *Etudes anglaise*, Jan.-Mar. 1960. プリュヴォは『恋したディアナ』（*Diana enamorada*）を主たる典拠と考えている（第3・4巻）。

☆6——Valentina Capocci, *op. cit.*, sepcialmente p.113.

☆7——G. Lambin, "Shakespeare à Milan," *Les Langues modernes*, 1952, p.245 sgg.

☆8——ランバンは『東行きだよ』（*Eastwared Ho!*）の一節（第三幕第三場一三八行以下）を引用している。そこではペトラネル卿がテムズ川の「潮流に抗して」船に乗らないように警告されている。しかしペトラネル卿は、自分の船が係留されているブラックウェルに、小舟でたどりつきたかった。そして嵐が恐れられていた。というのも警告には正しい根拠があったからである。一方、テムズ川は潮が満ちているときだけ、普通の船が通ることができた。

☆9——以下を見よ。Mario Praz, *Studi sul concettsimo*, Firenze, Sansoni, 1946, pp.137-38.［『綺想主義研究』、伊藤博明訳、ありな書房。］

☆10——この綺想の典拠は、周知のように、ペトラルカの有名なソネット「忘却にあふれたわが船が過ぎゆく」（'Passa la nave mia colma d'obblio'）である。ところでウィルソン・ナイト（*The Shakespearian Tempest*, Oxford University Press, 1932）は、シェイクスピアの象徴主義について、独創的な要素と伝統的な要素を区別することなしに、ひとつの理論をうちたて、まさに『ロミオとジュリエット』のこの箇所を、彼がシェイクスピアのいたるところに見いだす嵐‐音楽の対照の証明のために引用している。そして、あたかもこの綺想がシェイクスピアに属しているかのように、次のように註釈を加えている。「この章句は、嵐と、魂の動揺に充てられた船のイメージがいかに効果に満ち、いかに正確なものであるかを示している」(四七ページ)。そして、結論として「シェイクスピアの嵐」を、「ペトラルカの嵐」と正当にも称しうるものと呼んでいる。さらに奇妙で恣意的な考察は二七五ページに見いだされる。「ダンテは自らの地獄を、ある詩章(カント)から別の詩章へと、難破、嵐、旋風、暴風、泥、血の川、火の雨、奔流、洪水、地震のイメジャリーで満たしているが、これらはすべてシェイクスピアのものである」。

☆11――ベルモンテはこの劇作品の典拠である、散文説話集『ペコローネ(愚者)』に存在するが、その正確な位置は判らない。モンテベッロと呼ばれる地域は多数存在し、それゆえ、地域への正確な言及という印象は見せかけのものでありうる。

☆12――以下を見よ。Mario Praz, "Machiavelli e gl'inglesi dell'epoca elisabattiana," p.129.

☆13――J. J. Dweyer, *Italian Art in the Poems and Plays of Shakespeare*, Colchester, Benham, 1946.

☆14――A. Lytton Sells, *The Italian Influence in English Poetry from Chaucer to Southwell*, London, Allen & Unwin, 1955, p.192.

☆15――以下を見よ。A. Venturi, *Storia dell'arte italiana*, Milano, Hoepli, 1925-1934, tom. XI, pt. 3, p.158; Giovanni Battista Cavalcaselle, *Tiziano. His Life and Times*, London, 1877, vol.2, p.193.

☆16――G. S. Gargano, *Scapigliatura italiana a Londra sotto Elisabetta e Giacomo I*, Firenze, La Nuova Italia, 1923.

☆17――この関係についてはじめて注意を喚起したのは以下である。Madame Clara Longworth de Chambrun, *Giovanni Florio, Un Apôtre de la Renaissance en Angleterre*, Paris, Payot & cie, 1921.

☆18――以下を見よ。Frances A. Yates, *John Florio. The Life of a Italian in Shakespeare's England*, Cambridge University Press, 1934, p.218.〔フランシス・A・イエイツ『ジョン・フローリオ――シェイクスピア時代のイングランドにおける一イタリア人の生涯』、正岡知恵・二宮隆洋訳、中央公論新社〕。

☆19――以下を見よ。Mario Praz, "L'Italia di Ben Johnson," in Idem, *Machiavelli in Inghilterra*, Sansoni, 1962.

☆20――以下を見よ。*The Taming of the Shrew*, ed. by J. Dover Wilson, in *The New Shakespeare*, Cambridge University Press, 1928.

☆21――『タイムズ文芸付録』一九五二年一一月七日号、同月二八日号、一二月五日号におけるJ・B・リーシュマン他の書簡を見よ。

☆22――以下を見よ。Mario Praz, 'L'Italia di Ben Jonson.'

ジョン・ダンとその時代の詩

☆1——Sir Arthur Gorges, *Un poems*, ed. by Helen Eastbrook Sandison, Oxford, At the Clarendon Press, 1953.

☆2——この詩についての演劇的な観点からの分析は以下に見いだされる。P. Legouis, *Donne the Craftsman*, Paris, H. Didier, 1938, pp.75-77.

☆3——ダンの詩のマニエリスム的特徴については以下を参照。Wylee Sypher, *Four Stages of Renaissance Style*, New York, Anchor Books, 1955, esp. p.151.

☆4——H. J. C. Grierson, *Methphysical Lyrics and Poems of the Seventeenth Century*, Oxford, Oxford University Press, 1921, pp. xv-xvi.

☆5——Elizabeth Holmes, *Aspects of Elizabethan Imagery*, Oxford, B. Blackwell, 1929.

☆6——一九三〇年以前にケンブリッジで開催されたクラーク・レクチャーにおいて（未刊行）。

☆7——Pierre Martino, *Parnasse et Symbolisme*, Paris, A. Colin, 1925, p.100.

☆8——ジョン・ダン「別れ（本に寄せて）」（'A Vlediciotn: of the booke'）第二六行以下を参照。「この本という宇宙では、学者は学問を、星は音楽を、天使は詩を学ぶのである」。

☆9——*The Poems of George Chapman*, ed. by Phyllis Brooks Bartlett, New York - London, Oxford University Press, 1941, pp.245-246 ('To yong imagination in knowledge').

☆10——T. S. Eliot, *The Sacred Wood*, London, Metheun, 1920, p.20.

☆11——Franck L. Shoell, *Etudes sur l'Humanisme Continental en Angleterre*, Paris, Champion, 1926, p.19.

☆12——Holmes, *op. cit.*, p.99.

☆13——以下の書の索引で引用されている章句を見よ。*The Complete Works of John Webster*, ed. by F. L. Lucas, London, 1927.

☆14——ダンの「恍惚」（'The Ecstasy'）の根底にある理論はまた、ジョルダーノ・ブルーノの『カンデライオ』（*Candelaio*）第一巻第一〇章に見いだされる。ジョン・ダン——「われわれの手のひらは、にじみでる。……われわれの視線は、重なりあって、／眼と眼をより糸で結んでいた。／だが、ひとつになるために、まだ、／われわれは手と手を合わせるだけ、／また、瞳の中に、互いの姿を／宿すのが、唯一の生殖であった。……愛も二つの魂を一つに合わせ、／互いの生命力を倍増するから、／新しく生まれたでた有力な魂は、／孤独にも耐えることができる」。ブルーノ——「愛の魅惑は、頻繁な、あるいは一瞬とはいえ強烈な眼差しがもうひとつの眼差しと、視覚の光線がもうひとつの光線と、相互に出会い、光と光が融合するときに生じるのです。そうなると精気と精気が合流し、優勢な光が劣勢な光を打ち負かし、眼を通って閃光を放ち、心臓に根を張っている内部の精気まで浸透し、かくして愛の火災を起こすのです」（加藤守通訳）。

メリット・Y・ヒューズ（Merritt Y. Hughes, "The Lineage of 'The Extasie'," *The Modern Language Review*, XXVII, January I, 1932）は、説得力のある仕方で、この詩がカスティリオーネの『宮廷人』において、そしてとりわけ、「貞淑な愛の中に情念は存在するか」という問題を論じた、ベネデット・ヴァルキの『愛についてのいくつかの疑問についての講義』（*Lezioni sopra alcune quistioni d'amore*）において主張されているのが見いだされる、イタリアのプラトン主義の伝統に連関していることを証明した。

☆15――ダンのこの詩と別の詩については以下の研究の該当箇所を見よ。Mario Praz, *Secentismo e marinismo in Inghilterra: John Donne, Richard Crashaw*, Firenze, La Voce, 1925.「一周忌の歌」は五四ページ、「熱病」は一三一ページ。また次も見よ。Mario Praz, *John Donne*, Torino, Editrice S.A.I.E., 1959.

ベルニーニの天啓

☆1――Rudolf Wittkower, *Gian Lorenzo Bernini*, London, The Phaidon Press, 1955.

☆2――Rudolf Wittkower, *Architectural Principles in the Age of Humanism*, London, Tiranti, 1952.［ルドルフ・ウィットコウワー『ヒューマニズム建築の源流』、中森義宗訳、彰国社］

☆3――Valentino Martinelli, *Bernini*, Milano, Mondadori, 1953.

ルーベンス

☆1――Joyce Cary, *Herself Surprised*, London, M. Joseph, 1941.

☆2――Leo Van Puyvelde, *Rubens*, Paris-Brusselle, Elsevier, 1952.

☆3――Gillo Dorfles, *Dal significato alle scelte*, Torino, Einaudi, 1973.

ミルトンとプッサン

☆1――T. S. Eliot, "Note on the verse of John Milton," *Essays and studies by members of the English Association*, vol. XXI, Oxford, Clarendon Press, 1936.

☆2――とくにマルガレーテ・ヘルナー、ドヴォルシャック、ホフマンによるマニエリスムについての諸論考を参照されたい。Margarete Hoerner, in *Zeitschrift für Aesthetik und allgemeine Kunstwissenschaft*, vol. XVII, 1924, pp. 262-68, vol. XXII, 1928, pp.200-210, vol. XXXIII, 1939, pp. 27-40.; M. Dvořák, "Greco und der Manierismus," *Kunstgeschichte als Geistesgeschichte*, 2 ediz. Munchen,

1928 ; H. Hoffmann, *Hochrenaissance, Manierismus, Frühbarock*, Zurich-Lipzig, 1938.

☆3——Mario Praz, *Secentismo e marinismo in Inghilterra*, Firenze, Soc.Ed. La Voce, 1925. および『イタリア百科事典』一三八ページ以下に筆者が執筆した「一七世紀様式」（Secentismo）の項目、拙著（*Storia della letteratura inglese*, Firenze, Sansoni, 1937）一四七ページ以下、一九四四～四五年度の講義録（*La poesia metafisica inglese del Seicento, John Donne*, Roma, Edizioni italiane, 1945, ristampa, Torino, Editrice S. A. I. E., 1959）を参照されたい。

☆4——フレーリッヒ＝バンはなんとマニエリスム芸術家たちに帝政様式の先駆けを見てとっている。L. Fröhlich-Bum, *Parmigianino und der Manierismus*, Wien, 1921. ジロデの《ダナエに扮したランジェ嬢》（ミネアポリス美術研究所、図版は以下。R. Escholier, *Gros, ses amis et ses éléves*, Paris, Floury, 1936, tav. 42; *The Minneapolis Institute of Art Bulletin*, vol. LVIII, 1969. 同書はプラーツとG・レヴィティーヌの論考を収録）のような絵を前にしたとき、女性の気どった態度や彼女をとりかこむ寓意像から、ブロンズィーノの《ウェヌス（愛のアレゴリー）》（ロンドン、ナショナル・ギャラリー）を想起せずにはいられないのではないか。

☆5——一九五四年の今になって筆者が気がついたミルトンとプッサンの類似性は、すでにウィリアム・ヘイズリットにより指摘されていた（William Hazlitt, "On a landscape of Nicholas Poussin," *Complete Works*, edited by P. P. Howe, London, 1930, vol. VIII, p. 169）。「忍耐と努力の賜物たる高い技術をもって、彼は理想と古代の鋳型に自然を流し入れた。また彼は、詩人の中のミルトンと同じ位置を画家の間で占めていた。両者には何かしら同じ細目へのこだわり、同じ厳格さ、同じ高貴さ、同じ偉大さ、芸術と自然の同じ混淆、他から借りた素材の同様の豊富さ、同じ性格的一貫性がある」。ミルトンとプッサンのこうした類似性は、それが指摘されるや否や、これまで指摘されなかったことに驚くほど明白に思える現象のひとつである。一九四九年七月一日付の『タイムズ文芸附録』の四二九ページにおいて、E・M・W・ティリヤードは、『失楽園』第九書、八八六～九三行についてこう論じている。「場面全体からすぐさまプッサンの学識豊かな舞台的構成が思い起こされる。マリオ・プラーツであれば、ミルトンとプッサンに関するその論稿でこれらの詩句を引用したことであろう。（……）われわれは、プッサンが描いたように、すなわち、高貴、背が高くほっそりとして、古典的な輪郭をもつものとして、アダムとエヴァの造形を見るようどこか強いられているように感じる」。

☆6——ルイ・ウールティックは（Louis Hourticq, *La jeunesse de Poussin*, Paris, Hachette, 1937）、ローマに旅する以前にフランスですでに成熟した芸術家としてプッサンを提示しようとしている。それはベッローリ（Giovanni Pietro Bellori, *Vite de' pittori, scultori e architetti moderni*, Parte prima, Roma, 1672）を踏襲した、「ローマ画家」プッサンという伝統的な観念と真っ向から対立する。美術史家たちが「フランス人画家」プッサンを忘却したのは、若い頃の絵画作品が各国（ドイツ、ロシア、イギリス）に散逸したことに起因するであろう。これに対して、栄光に浴した「ローマ時代」の作品はルーヴル美術館に集められている。ウールティックには、ローマへの旅により画家の一般的な成長が断絶したと映った。「若さと愛を謳う熱を帯びた甘美な詩人」、ブーシェとフラゴナールの先駆者、「絵画に一匙の情緒的詩情を加えた第一人者」となるのはフランス人画家プッサンであるのに対して、有名作品の「イタリア風音楽」には「初期作の優美さと感受性を後悔させるようなゴロゴロという念仏」があるとみなした。

このような若きプッサン像を特定するとき、ウールティックは、不十分な歴史的史料をプッサンの故郷の風景の描写で補おうとせず、さらに悪いことに、根拠のない仮説にもとづく「自発的なイメージ」で補うこともしない。そうした仮説は、イタリアのマニエリスム芸術家に霊感を受けたフォンテーヌブロー派にしても、ラファエッロの絵画を複製したマルカントニオ・ライモンディの版画――プッサンはジュリオ・ロマーノの絵画も知っていたと思われ、なぜなら、パラッツォ・ドゥカーレの「トロイアの間」にジュリオが描いた〈眠れるアンドロマケ〉（上）のポーズは《眠れるニンフ》（ドレスデン絵画館［中］）にも、ウールティックが自然から霊感を得たと評価する《メルクリウスとヘルセ》（下）のヘルセにも見いだされるからである――にしても、最終的には、プッサンが「神話学と寓意の洗礼」を受けた、騎士マリー

ノという新しきオウィディウスの『アドーネ』（*Adone*）にしても、『解放されたエルサレム』（*La Gerusalemme liberata*）にしても、いずれイタリアの影響にいきつくのである。

「パリジャン」としてのプッサン像は文学的影響（オウィディウス、タッソ、マリーノ）が優勢であり、それはウールティック自身が躊躇なく「フランス・イタリア的」と呼ぶ文化的環境と（「王妃マリー、ゴンディ、マラン、ランブイエ館が、彼のパリ時代最後の作品群を導いた」、前掲書、一二九ページ）、諸モデルに充分に接することができなかったがために不完全なかたちで吸収した芸術的影響に起因する。ウールティックが述べるように（一六〇ページ）、マルカントニオの版画を通してラファエッロを研究したことにより、プッサンは「ラファエッロの構成の思想と方法以上にローマ絵画を真に知ることはなく、絵画の洗練された官能性を彼は逃した。彼が巨匠の作品の中で称賛したのは、知的な明晰さと歴史的構成である」。ミルトンもタッソに対してよく似たことが起きている。

☆7——デニス・マホンが引くジョヴァンニ・バッティスタ・アグッキの文章を参照されたい。Denis Mahon, *Studies in Seicento Art and Theory*, London, The Warburg Institute, University of London, 1947, p. 140.「（アンニーバレとアゴスティーノ・カラッチは）、上述した方法（すなわち多くの対象に分散する美を集め、物事を現実のままではなくあるべき姿につくること）でなければ、いったいラファエッロが古代の事柄についてどう研究を行い、自然にはないあの美のイデアをどこで形成することができたかということに、早くも気づいた。こうしてカラッチ一族はローマで最も評価の高い最も有名な彫像を研究したのである」。

☆8——マホンの前掲書、第四部「伝説の構築：カラッチの古典的、折衷的誤解の起源」を見られたい。「ガッレリーア・ファルネーゼは死んだ言葉を蘇らせる試みではなく、古典主義の広い基本的書式を生きた言語で再解釈したものである。この生きた言語こそ、アンニーバレの個性であり彼の時代に関わっている」。

☆9——Winckelmann, *Opere*, Prato, Giachetti, 1830, VI, p. 596.　弟子たちがグイド・レーニに、彼の絵画の人物像のようなモデルをどこで見つけたのか尋ねると、彼は古代彫像の石膏模像を指さして答えた。

☆10——D. Mahon, *op. cit.*, pp. 78-79.

☆11——アンニーバレ・カラッチの両義的な位置については以下。Mahon, *op. cit.*, p. 201.「真実のところは、ガッレリーアは本質的に古典主義的な未完成の素材を、当時の新しい絵画観に合わせて抜本的に変容させたものである。他の古典主義の形態と比べると、ガッレリーアはアンニーバレの特別にバロック的な性質をあからさまに公言している」。

☆12——Tasso, *Prose diverse*, a cura di C. Guasti, Firenze, 1875, vol.I, p. 54.［トルクァート・タッソ『詩作論』、村瀬有司訳、水声社、二〇一九年、九六ページ］

☆13——Ibid., p.217 (Discorsi, libro terzo).

☆14——Ibid., p. 219 (Discorsi, libro quinto).

☆15——Ibid., p.125 (Discorsi, libro secondo).　これと同じ原則を、タッソは対話篇『伯爵、すなわちインプレーサについて』(*Il Conte, o vero De l'imprese*) で主張している。「インプレーサの内容は高貴でなくてはならない」。拙著『綺想主義研究』(*Studi sul concettismo*, Firenze, Sansoni, 1946, pp. 70-71〔伊藤博明訳、ありな書房、一九九八年〕を参照されたい。

☆16——Ibid., pp. 272-73 (Discorsi, libro sesto).

☆17——Ibid., p. 212.〔『詩作論』第三巻、前掲邦訳書、八九ページ〕

☆18——Tasso, *Discorsi del poema eroico*, libro sesto.

☆19——Tasso, *Prose diverse*, p. 267(Discorsi, libro sesto).

☆20——Ibid., p.162(Discorsi, libro terzo).

☆21——Ibid., p. 253 (Discorsi, libro sesto).

☆22——J. S. Smart, *The Sonnets of Milton*, Glasgow, 1921.

☆23——"Lezione sopra un sonetto di Monsignor della Casa." *Prose diverse*, vol.II, p. 125. これはフェッラーラのアカデミアでタッソがおこなった講演であり、『タッソの詩と散文』初版から第二部に収録された。のちにデッラ・カーザの詩作と合本で再版されている。

☆24——アンソニー・ブラントの論考に対するポール・アルファッサの書評を参照されたい。Paul Alfassa. "L'Origine de la lettere de Poussin sur les modes d'après un travail rècent." *Bulletin de la Société de l'Histoire de l'Art Français*, 1933, pp. 125-43.

☆25——フランス語の表現はプッサンの書簡からの引用。現在、芸術理論に関するプッサンの著作は後世に加筆されて一貫性に欠ける傾向が明らかにされており、プッサンは彼独自の思考の力よりも、碩学の集う環境にあって博識にならねばならないという懸念に縛られたように思われる（前掲註に示した論文のほか、以下を参照のこと。A.Blunt. "Poussin's Notes on Painting." *Journal of the Warburg Institute*, vol.I (1937-38), pp. 344-51. W. Friedländer, *Nicolas Poussin, die Entwicklung, seiner Kunst*, Munchen, 1914, p. 23)。とはいえ、ここで重要なのはプッサンの理論の独創性ではなく、芸術理論が彼の絵画作品に与えたであろう影響であり、そのような影響があったことは疑いがないと筆者には思われる。たとえアルファッサが、「彼の学説のなかに、彼特有の絵画様式の解釈を探すことを私は慎みたい」と言おうとも。

☆26——*Prose diverse*, vol. I, p. 266 seg.

☆27——以下も参照のこと。*Prose diverse*, vol.II, pp. 120-121.　共通の典拠は、アリストテレスが『弁論術』第三巻で、言葉はイデアの模倣であるため、下劣さも高貴さも模倣すべきと述べる箇所と、ファレロンのデメトリオスの『文体論』である。

☆28——E. W. M. Tillyard, *Milton*, London, 1930, p. 35.

☆29——『キリスト降誕の朝によせて』四六、五〇〜五一行。〔『ミルトン詩集』才野重雄訳注、篠崎書林、一九七六年、五〜六ページ。〕

☆30——ティリヤードは前掲書の三七ページで、「降誕を描いた一五世紀のイタリア絵画は最も明らかな比較となろう」と書いているが、核心を突いていない。

☆31——『キリスト降誕の朝によせて』一六八〜一七二行。〔才野重雄訳、前掲書、一五〜一六ページ。〕

☆32——『キリスト降誕の朝によせて』一八八行。原文はオックスフォード版より引用。〔同上、一七ページ。〕

☆33——ミルトン『仮面劇コーマス』、二二一〜二二五行。〔同上、六八ページ。〕

☆34——ミルトン『沈思の人』一六三二年頃、一三一〜一三五行。〔同上、四二〜四三ページ。〕

☆35——Tillyard, *op. cit.*, p. 21.

☆36——『チャールズ・ディオダーティへの第一哀歌』六一〜六二行。

☆37——プッサンのバッカナーレ作品《シレノスの凱旋》ナショナル・ギャラリーNG四二、《バッコスの巫女たちの踊り》NG六二）は、フリートレンダーにより一六三五年から四〇年の間に位置づけられた。Friedländer, *op. cit.*, p. 67. 上述したように、プッサンの中でフリュギア式はより厳格なドーリス式と並んで存続した。ジャモは《バッコスの祭典》（シレノスの凱旋）を一六三九年から四〇年の間に、《踊るバッコスの巫女たち》をその直前に位置づけた。Paul Jamot. "Étude sur Nicolas Poussin." *Gazette des Beaux-Arts*, 4, no.719, 1921, pp. 81-100 (Les Bacchanales de Richelieu). 近年は《シレノスの凱旋》は模写と見なされ、ピエール・ダラン（一六六九〜一七四八年）に帰属されている。

☆38——『第五哀歌、春の訪れに』一一九〜一三〇行。

☆39——ミルトン『リシダス』〔一六三七年執筆、『エドワード・キングへの追悼詩集』一六三八年所収〕六七〜六九行。〔才野重雄訳、前掲書、一五八ページ。〕

☆40——ミルトン『ダモンの碑銘』二一七〜二一九行。

☆41——ミルトン『失楽園』第八巻六二〇〜六二九行。〔平井正穂訳、筑摩書房、一九七九年、三六三〜三六四ページ。〕

☆42——ダンテ・アリギエリ『神曲』「天獄篇」第一歌七〇〜七一行。〔原基晶訳、講談社学術文庫、二〇一四年〕

☆43——Hourticq, *op. cit.*, p. 134. ウールティックは明確に述べる。「本作における軽やかな葉の枠組の霊感源は、間違いなくテュイリュリー庭園であり、ここで春の瑞々しさは神話的な言語に翻案された。女神がその王国に引き留める英雄たち＝花々が、そこに集合している。アンリ四世がこの庭園を造営した。彼は花々を愛したのである」。ウールティックはこれと同じ議論を用いて、フランス的精神の浸透したプッサンを最高と見なす持論を主張した。

☆44——Bellori, *op. cit.*, nota 6, p. 39.

☆45——ウールティックは（p. 131）、プッサンがこの着想のアイデアを得たのはマリーノの『アドーネ』第六歌のとくに一三二行と一三三行、「花ではなく、花そのものではなく、アモルが引き起こしたのは（……）花への変身（Ne' fior, ne' fior istessi Amor ha loco...fior cangiato...）」からと考えている。ウールティックが言うには、唯一マリーノにのみ、プッサンは「愛と死の哀れな犠牲者たち」の一群を見出すことができた。また推論の根拠として、先に引いた詩句とともに、「緋色のストラのように花」を撒くフローラに関係するマリーノの詩句を引用している。しかし当該の詩句は詩の別の箇所のもので（ウールティックの引用箇所は誤り。そればかりか彼がイタリア語を引用するさい綴りを間違えているのは、フランス人作家にありがちである）、また花々についての文章は、巧みに切り取られることで得られる重要な文脈をもたず、『変身物語』の登場人物を一堂に会して表わすうえでなんら珍しいものがあるわけではない。しかし、イタリア語の文学的典拠を示すことは、ウールティックにとって正確な目的があった。「これはこの絵画作品を一六二三年から二四年頃の、イタリア人詩人［マリーノ］とフランス人画家［プッサン］が友情を結んだ時期に位置づける新しい論拠となる」。そうなると、プッサンがローマに来る（一六二四年）以前の、「パリジャン」としてのプッサンの活動は第一級の作品で彩られることになろう。しかしながら、本作が一六三一年にファブリツィオ・ヴァルグアルネラのために制作されたことは、同時代史料により証明されている。

☆46——ミルトン『第一書記官にして医師の死に寄せて』四一～四四行。

☆47——ミルトン『リシダス』一三六、一三九～四七、一四九～五〇行。［才野重雄訳、前掲書、一五四～五五ページ。］

☆48——ミルトン『コーマス』八六七～八八〇行。［同上、一〇八ページ、一部改変。］

☆49——Cfr. Friedländer, *op. cit.*, p. 3.

☆50——Bellori, *op. cit.*, pp. 437-38.

☆51——E. M. W. Tillyard, "L'Allegro and Il Penseroso," *The Miltonic Setting*, Cambridge, 1938, pp. 1-28.

☆52——プッサン作品の風景についてはフリートレンダーとアルファッサを参照されたい。Friedländer, *op. cit.*, esp. p. 46. P. Alfassa, "Poussin et le Paysage," *Gazette des Beaux-Arts*, 1925, tom.I, p. 265-76.

☆53——フリートレンダーはプッサンとコルネイユを比較している。Friedländer, *op. cit.*, p. 104.

☆54——Giovan Battista Passeri, *Vite de' pittori, scultori ed architetti che hanno lavorato in Roma, morti dal 1641 fino al 1673*, Roma, Gregorio Settari, 1772. *Die Künstlerbiographien von G. B. Passeri*, hrsg. Von J. Hess, Lipzig-Wien, 1934.

☆55——J. Hess, "Notes sur le sculpteur François Duquesnoy," *Revue de l'Art*, 1936, février-juin, pp. 21-36. ヴィンケルマンについては六四ページ以下。

☆56——Friedländer, *op. cit.*, p. 59.　および Thieme-Becker の芸術家事典に彼が執筆したプッサンの項目。

☆57——マーニュが引用する G.Berger の指摘。Émile Magne, *Nicolas Poussin*, Bruxelles-Paris, G. van Oest & cie, 1914, p. 76.

☆58——*Opere*, ediz. cit., VI, p. 496.

☆59——*Op. cit*, p.454.

☆60——たとえばプッサンの《エウダミダスの遺書》（コペンハーゲン国立美術館［上］）とグランの《マルクス・セクストゥスの帰還》（一七九九年、ルーヴル美術館［中］）を比較されたい。またフェネロンにおけるパラシオスとプッサンの架空の対話を参照。Fénelon, *Oeuvres*, 1823, XIX, pp. 336, 338. 対話のおもな主題はプッサンの《フォキオンの埋葬》（一六四八年、ルーヴル美術館［下］）で、場面の正確さが論じられる。パラシオスは、「ここにはあなたが歴史、習俗、建築を知悉していることが示されています」と指摘する。さらに彼が、遠方に見える丸い塔のアイデアをどこから得たのかと聞

くと、プッサンは「覚えていませんね。しかし、古代にあるのは確実です。私は、古代のモニュメントから取り出した古代遺物に自由に手を加えることはありませんから」と答える。以下を参照されたい。A. Blunt, "The Heroic and the Ideal Landscape in the Work of Nicolas Poussin," *Journal of the Warburg and Courtauld Institutes*, Vol. VII, 1944, p. 162.

☆61——以下を見よ。Praz, "Winckelmann," in Idem, *Gusto neoclassico*, Firenze, Sansoni, 1940, p.68.

☆62——以下を見よ。A. Blunt, "The Triclinium in Religious Art," *Journal of the Warburg Institute*, Vol. II, n.3 (January 1939), pp.271 ff. チーゴリも古代ローマ式にトリクリニウムに座すキリストを描いた（《ファリサイ人シモンの家の宴》一五九七年頃、ローマ、ドーリア＝パンフィーリ美術館、n. 83）。

☆63——T. Gautier, A. Houssaye, e P. de Saint-Victor, *Les Dieux et les demi-dieux de la peinture*, Paris, 1864, p. 309.

☆64——ミルトン『失楽園』第三巻、一三六〜一三六行。〔平井正穂訳、前掲書、一一二ページ〕

☆65——E. H. Visiak, *Milton agonistes*, London, 1923.

☆66——ミルトン『失楽園』第一巻、七一〇〜一七行。〔平井正穂訳、前掲書、四一ページ〕

☆67——ミルトン『アルカディアの人々』七二〜七三行。〔『ミルトン英詩全訳集』、宮西光雄訳、金星堂、一九八三年、上、一三八〜一四五ページ〕

☆68——Bellori, *op. cit.*, p. 461.

☆69——誘惑という同じ主題をめぐる古典的な扱いとロマン主義的扱いとの著しいコントラストは、フロベールの『聖アントニウスの誘惑』と並べて『楽園の回復』を読むと了解される。

☆70——ミルトン『楽園の回復』第二巻、三五〇〜六一行。〔新井明訳、大修館書店、一九八二年〕

☆71——ミルトン『歓楽の人』五九〜六二行。〔才野重雄訳、前掲書、二七ページ〕

☆72——ミルトン『楽園の回復』第四巻、四二六〜二九行。

## 逆光に見るローマ

☆1——Antonio Colini, *Piazza Navona dei Pamphilij*, Roma, Franco Spinosi editore, 1969.

☆2——Cesare D'Onofrio, *Roma nel Seicento*, Firenze, Vallechi, 1969.

☆3——Francis Haskell, *Patrons and Painturs, A Study in the Relation between Italian Art and Society in the Age of the Baroque*, London, Chatto and Windus, 1963.

☆4——A. Pigler, *Barockthemen. Eine Auswahl von Verzeichnissen zur Ikonographie des 17. und 18. Jahrhunderts*, Budapest, Verlag der Ungarischen

Akademie der Wissenshfte, 1956.

☆5——Eleanor Clark, *Rome and a Villa*, New York, Doubleday, 1952.

☆6——Cesare D'Onofrio, *Fontane di Roma*, Roma, Staderni, 1957.

☆7——Cesare D'Onofirio, *Gli Obelischi di Roma*, 2a edizione con aggiunte e correzioni, Roma, Bulzoni Editore, 1967.

☆8——Vincenzo Golzio, *Palazzi romani dalla Rinascita al neoclassico*, Bologna, Cappelli, 1971.

サ行

# 人名・作品名　索引

ア行

官能の庭Ⅲ

# ベルニーニの天啓

――一七世紀の芸術

二〇二一年三月二五日　発行

著　者――マリオ・プラーツ
訳　者――伊藤博明（専修大学文学部教授／イタリア思想史）
若桑みどり（一九三五年生～二〇〇七年歿／イタリア美術史）
上村清雄（一九五二年生～二〇一七年歿／イタリア美術史）
新保淳乃（武蔵大学人文学部講師／イタリア美術史）

監　修――伊藤博明（専修大学文学部教授／イタリア思想史）

企画構成――石井　朗（表象芸術論）

装　幀――中本　光（ブックデザイン）

発行者――松村　豊
発行所――株式会社　ありな書房
東京都文京区本郷一―五―一五
電話　〇三（三八一五）四六〇四

印刷／製本――株式会社　厚徳社

ISBN978-4-7566-2279-2 C0070

シリーズ　マリオ・プラーツ〈官能の庭〉Ⅰ～Ⅴ　監修　伊藤博明

官能の庭Ⅰ
マニエーラ・イタリアーナ――ルネサンス・二人の先駆者・マニエリスム　定価　二四〇〇円＋税

官能の庭Ⅱ
ピクタ・ポエシス――ペトラルカからエンブレムへ（仮）　予価　未定

官能の庭Ⅲ
ベルニーニの天啓――一七世紀の芸術　定価　二八〇〇円＋税

官能の庭Ⅳ
官能の庭――バロックの宇宙（仮）　予価　未定

官能の庭Ⅴ
マリオ・プラーツ――稀代の碩学の脳髄の中に（仮）　予価　未定